# Duelo de noche

© María Antonieta Mendívil, 2006
© Editorial Almuzara, s.l., 2006

1ª edición: septiembre de 2006

Ilustración de cubierta basada en obra de Bonita Hein

**Colección Narrativa**
**Editorial Almuzara**
Director editorial: Antonio E. Cuesta López
www.editorialalmuzara.com
pedidos@editorialalmuzara.com - info@editorialalmuzara.com

Diseño y preimpresión: Talenbook
Imprime: Taller de libros, s.l. [www.tallerdelibros.com]

I.S.B.N: 84-88586-99-x
Depósito Legal: CO-972-06
Hecho e impreso en España - *Made and printed in Spain*

María Antonieta Mendívil

# Duelo de noche

ALMUZARA
2006

*A mi hija Mariana*
*y a mi madre, María Antonieta*

*Agradecimientos:*

*Hay un momento donde la escritura
deja de ser un oficio solitario: cuando
los amigos se hacen cómplices de la obra
solitaria y le prestan sus ojos y tachones.*

*Gracias a María Dolores del Río,
Margarita Oropeza, Sylvia Aguilar, Carmen
Espriella, René Sotelo, César Avilés, Luis
Humberto Crosthwaite y Miguel Méndez.*

I

«En la noche las enfermedades se emperran», dice la gente de los pueblos. La frase que antes me provocaba risa, ahora me recorre como un escalofrío al ver cómo la enfermedad se ensaña con mi madre. En un celo extremo la piel se ha ido comiendo la carne para untarse a sus huesos. La muerte avisa. La muerte tiene rostro y figura.

¿Y qué puede hacer una hija en la probable última noche de su madre? Me atormenta su mirada. A pesar de ser vaga y opaca, me hace sentir que quiere decir algo. Esta será una sensación que me conmoverá toda la noche y debo luchar contra ella.

(Me han dicho que lo primero que hacen cuando amanece es abrir las cortinas del ventanal. ¿Qué te parece si las abro ya? Tal vez alcances a ver algunas estrellas por el cristal... Mira qué luna... es la luna de octubre de la que siempre me hablabas.)

*La luna de octubre es famosa. Hay poemas que hablan de ella. Hay canciones. Y es cierto: es grande, redonda, amarilla y parece que en ninguna otra época está tan cerca de la Tierra... Quién sabe por qué, pero así es.*

Quién sabe por qué, pero así es. Tal vez esa fue la primera diferencia que tuvimos mi madre y yo. A mí no me bastaba esa frase. Para mí era la pared levantada abruptamente ante mi curiosidad. Yo sí quería saber por qué. Y después empecé a preguntarme por qué ella no era capaz de responder, si una madre lo sabe todo.

(Pero mira qué luna. ¿Así era la luna que caía sobre la espalda de mi abuelo, según me contabas?)

*Aquella noche ya estaba dormida. Nuestra casa sólo tenía dos habitaciones, ya te he contado. La recámara donde dormíamos tus tías y yo, y la cocina, donde tus abuelos tendían el catre. Así es que todo se escuchaba de un cuarto a otro. Nosotras debíamos dormir en un silencio total. Nada de hablar entre nosotras, ni movernos, ni levantarnos, ni roncar, ni toser, ni hablar dormidas; nada. Pero yo sí oía el rechinido del catre cuando mis padres se movían. Una noche no sólo escuché el catre rechinando, sino también pujidos, como si alguien estuviera aguantando las ganas de llorar y se ahogara. Se escuchaba pg, pg, pg, gemidos cortos y seguidos.*

*Me levanté asustada y lo primero que vi fue la espalda de mi papá, ancha y blanca, blanca, iluminada por la luna. Era octubre, por eso la luna estaba tan grande y amarilla. Mi papá estaba encima de mi mamá, desnudo, me pareció que ella también, porque le alcancé a ver las piernas estiradas y rectas sobre el catre. Mi papá se movía como si quisiera aplastarla ¿Ya te imaginas de qué se trataba? Pero mi mamá, tan inexpresiva. Sólo pujaba con los labios apretados, con la cara hacia un lado, sin ver a tu abuelo, como si viera a la nada, sin ningún gesto, con los brazos echados a los lados, sin tocarlo.*

*Me asusté y le dije: ¡Papito! ¿Qué le está haciendo a mi mamita? ¡Déjela! Yo en mi inocencia pensé que le estaba haciendo algo malo. Mi papá dejó de moverse y sin voltear a verme, muy quieto, me ordenó, enojado, como siempre, pero esta vez en voz baja: Váyase a acostar, ¿qué hace aquí? Váyase a acostar.*

*Me fui a acostar asustada. Sin poder borrar de mi mente la espalda blanca y desnuda de mi padre y la cara de mi madre, mirando a la nada, inexpresiva.*

*Lloré toda la noche. Llegué a pensar que mi mamá se estaba muriendo.*


Mamá muriendo. Qué noche tan larga. Qué difícil resignarme a que mi único objetivo sea cuidar a mamá. No sanarla, no salvarla, ni siquiera hacerle esta noche más ligera.

Todavía hoy en la mañana fui a hablar con su médico. ¿No mejoraría su calidad de vida estar en el hospital, con oxígeno, suero, tranquilizantes para el dolor? Ser el médico de la familia le da cierta autoridad casi incuestionable: Sara, tú como médico sabes que no hay nada por hacer; hospitalizarla sería prolongar su agonía y dolor. Por el cariño que yo le tengo y por el amor de ustedes, no podemos hacerle esto. Deja que muera en su casa.

Esperar la muerte de mi madre, así, a su lado, en silencio y pasivamente, hace sentirme por unos momentos intrusa; por otros, asesina.

Esta noche espero en la penumbra de la habitación la muerte de mi propia madre, observando cada signo de sufrimiento, cada aliento que se va esfumando de su vida, sólo para avisar a mi padre y a mi hermano que el momento llegó.

¿Cómo dejar de sentirme asesina? La mirada de mi madre, clavada en mí como una Virgen Dolorosa, parece acusarme. Acusarme de tantas veces que deseé no tenerla, vivir en un orfanato donde no me alcanzara el sofoco de su amor, donde yo pudiera decidir cada acto en mi vida, donde no escuchara su "no puedes, porque eres niña".

(¿Te acuerdas, mamá, cuando nació Marijose? Mi papá me llevó al cunero para que escogiera a mi hermanita que con ansias esperaba. Recorrí todas las cunas de cristal. Los niños eran feos y llorones. Pero había una niña que no lloraba, regordeta, rosa su piel, rosa su cobijita. Era tan hermosa. Yo la escogí. Papá sonrió feliz y la enfermera también sonriente le entregó la bebé en complicidad.)

Eso no me hizo feliz. Es la parte de la historia que nunca he contado a mi madre y no lo haré hoy. A pesar de mis cuatro años, la mente ya empezaba a darme vuelcos. Esos vuelcos que tanto la asustaban. Si yo elegí una niña, allí en el hospital, entre otros tantos bebés, seguramente mi hermano me eligió a mí. Esa expresión que tanto usaba mi madre, «Porque soy tu mamá», dejó de tener sentido para mí; sólo era una arbitrariedad.

Nada había entre mis supuestos padres y yo. Nada entre mis hermanos y yo. Lo mismo da tener unos padres u otros, pensaba. Y mis padres no me gustaban. ¿Podía elegir a otros, como elegí a mi hermana? ¿O elegir no tener padres? Era preferible. No tener padres a quienes pedir permiso, a quienes tener temor, de quienes recibir tanto amor que luego me obligara a portarme bien y a ser esa niña tranquila y dulce que todos creían. O tal vez mis padres también podían elegir tranquilamente cambiar a sus hijos si no les agradaban.

Y lo que hace tan triste esta noche es pensar que no le gusto a mi madre. Saber que la vida que he elegido no es lo que ella quería para mí. Y que aquella elección de darle por hija a Marijose les ha traído dolor. Elegí a una hermana que moría joven, que no duraba mucho.

Es tan tonto. Sé que Marijose, Rafa y yo somos hermanos, que nacimos de nuestros padres y que nuestras vidas no hubieran sido posibles de otra manera más que de ese padre y esa madre, pero las impresiones que de niños tenemos son las que marcan nuestros pensamientos posteriores. Son como los vados de los ríos. Son inamovibles, por más que un urbanista trate de expulsarlos del centro de una ciudad. Ante una tormenta, las caudas de agua se abrazan a su vado y arrasan toda construcción levantada a su paso.

Aquella anécdota de la luna, por ejemplo, y otras más, imprimieron en mi madre la idea de que mi abuela no amó a mi abuelo, y como no hubo amor en aquello que le dio origen, tampoco creyó tener amor en su vida. Por eso siempre lo mendigó.

*Al principio yo no sabía por qué sólo tenía recuerdos donde mi madre no estaba presente. Pensaba que no se trataba de períodos, sino momentos que como niña había exagerado en un sentimiento constante de soledad. Me recuerdo yendo a la escuela junto a tus tías sin haber desayunado, con la boca amarga, con un ardor hueco que subía del estómago a la garganta y se convertía en náusea. Íbamos con las mismas trenzas que nos habían hecho días atrás; descalzas, así fuera verano o invierno. Por eso ahora me da tanta tristeza ver niños descalzos; por eso te regaño cuando andas sin zapatos aquí en la casa. Ese es el extremo de la pobreza. Un niño que no tiene zapatos no tiene nada, ni techo seguro, ni amor de padres, ni dignidad. Llegábamos a la escuela y así entrábamos a clases. Hasta que nos dijeron que no querían que fuéramos sin zapatos, porque era una falta de respeto a la escuela, al aula y a la enseñanza. Eso de falta de respeto nos era tan ajeno. Si a nosotras nos faltaba todo: una madre que nos amara y atendiera, que diera la vida por sus hijas; un padre que nos quisiera y se preocupara porque no nos faltara lo indispensable.*

*Pero tu abuela se desaparecía y nosotras no sabíamos adónde iba, ni preguntábamos la razón. Y tu abuelo llorando en los rincones o en el vano de la puerta esperando a su mujer, con su pantalón sostenido por los tirantes sobre el torso desnudo.*

Y mientras ella volvía, nosotras preocupadas por cómo llevaríamos zapatos. Tu tía Teresa era muy fuerte y arrojada, se le ocurrió cortar pedazos de una llanta que estaba tirada en el monte que cruzábamos para ir a la escuela. Cortó el caucho del tamaño de nuestros pies, luego atravesó un pedazo de tela por la suela con ayuda de un alambre caliente, para hacernos unas sandalias. Muy bien le quedaron. Y así no volvimos a ir descalzas a la escuela.

Ver a tu abuela regresar me llenaba de una emoción parecida al fervor. Aparecía en el monte, caminando con altivez, con su peinado alto de salón, las zapatillas casi flotando sobre los pedruscos, la falda angosta untada a sus muslos por el viento. Entraba a casa y pasaba enfrente de tu abuelo y de nosotras como si fuéramos invisibles a sus ojos. Colgaba la bolsa en el respaldo de una silla y se sentaba en la orilla de nuestra cama. Se quitaba las zapatillas y luego las medias transparentes, como las que usaban las artistas.

Tu abuelo se arrollidaba a sus pies y le besaba las manos. Invariablemente le decía: Ahora mismo me voy a trabajar, Delia.

Ya que tu abuelo salía nos atrevíamos a acercarnos a ella. Una por una le besábamos una por una la frente. Ella sólo emitía un «mh» que nos apresuraba a dejar el turno a la siguiente. No sonreía, era como las artistas que aparecían fotografiadas en cromos, tan bellas, con gestos rígidos y casi celestiales.

Eso era cuando regresaba pronto. Cuando no, llegaba la abuela Remedios en su coche conducido por el tío Cayetano, acompañada de las tías Amparo y Angelines. *Salíamos corriendo a recibirlas, pero estiraban los brazos para detenernos. A distancia nos abrían los cabellos entre las trenzas para ver nuestros cráneos. Siempre nos descubrían piojos. La abuela hacía una señal con su sombrilla y las tías nos sentaban al sol, deshacían las trenzas, sacaban unos pomos de veneno para insectos, muy apestoso, mojaban unos algodones y los exprimían sobre las llagas que ya teníamos.*

*Me gustaba ver a mis hermanas cuando les exprimían veneno sobre las llagas. Claramente se veían los piojos negros desparramarse, expulsados de las llagas. Ya sé que es muy desagradable, pero era un alivio saber que alguien llegaba a limpiarnos y a despiojarnos.*

*Los piojos me recordaban todo lo feo que tenían nuestras vidas sin desearlo ni buscarlo. Los piojos también llegaban solos sin que nos diéramos cuenta.*

*Ninguna de nosotras, te aseguro, quería vivir en las afueras de la ciudad, en una casita tan miserable, rodeadas de basura y monte. Ninguna de nosotras nos sentíamos felices de tener un padre severo y arisco, una madre indiferente. No deseábamos tanta pobreza y desamparo.*

*Ya que nos despiojaban, nos llevaban a la casa de la abuela. Era una casa muy grande y bonita de dos pisos, con su huerta. Hasta fuente tenía. Y con ella vivían todos sus hijos, menos mi papá y mi tío Ignacio, que eran los únicos casados.*

*En aquel entonces no me preguntaba por qué mi papá era tan pobre si la abuela no lo era, ni ninguno de mis tíos. En lugar de lamentarlo me llenaba de orgullo saber que había ricos en la familia.*

La casa de mi tío Ignacio, por ejemplo, también era de dos pisos, con unas escaleras que bajaban en curva. Allí veía descender a mi tía Maricarmen con sus batas largas con peluchitos en los bordes, muy elegante, con su pelo rubio y rizado.

El tiempo que pasábamos en casa de la abuela era para mí vivir en una película. Nos enseñaban buenos modales, costura, bordado, cocina; nos leían novelas de buenos escritores, de los que vienen en tus libros de texto; nos llevaban al catecismo, nos enseñaban a rezar el rosario.

Hasta que aparecía mi padre con una sonrisa de oreja a oreja, nos subía en la camioneta y volvíamos a casa, donde encontrábamos a mamá de espaldas moliendo frijoles.

Volver a casa me dolía y no me dolía. Terminaba la película donde yo era la protagonista y volvía a estar con mi madre, con la esperanza siempre de que ella tuviera algún gesto amoroso para nosotras o para papá. Con la esperanza siempre de que seríamos felices y ya no viviría películas que se acaban. Porque a pesar de todo, la película que más me gustaba era esa. La que sucedía en esa casa de dos cuartos en medio del monte, con mis padres tan guapos los dos, con mis hermanas todas mujeres y todas diferentes. Donde yo era Concha, no Concepción. Donde la historia no terminaba.


Todas las historias terminan. La historia de mi madre va terminando demasiado pronto, para mi ver, el de papá y Rafa. Para ella va de retraso. Su cuerpo le urge a la muerte.

Es increíble ver de un mes a otro tanto deterioro. Hace un mes podía articular una conversación, no muy larga, pero profunda. Hace una semana ya no había coherencia; confundía sueños con realidad, recuerdos con realidad, deseos con realidad. De un día para otro ya no pudo comer ni comulgar. De un día para otro dejó de hablar. De un día para otro inició su viaje.

Y se supone que yo soy la especialista en muerte. Así me han querido ver papá y Rafa. Yo soy la que tiene la fuerza y las palabras. Yo tengo la franquicia del más allá. Por eso yo tuve que llegar con mi madre a decirle, con otras palabras: ¿Sabes qué? Efectivamente no eres tonta, tienes razón en pensar que pronto morirás; te quedan tres meses. Por eso soy yo quien tiene que acompañarla en su agonía, quien debe acudir con un botiquín lleno de novenas, con un Rosario traído de Tierra Santa. Con sólo cerrar los ojos me creen en presencia de Dios.

Y esta noche no he rezado, ni rezaré. Mis rezos son una burla ante la vida de mi madre. Mis oraciones serían tan ridículas como el rosario que se reza en la iglesia, más semejante al cuchicheo de café, viendo por el rabillo del ojo a las personas que se acercan al confesionario y contando el tiempo que pasan en él.

¿Qué van a hacer mis oraciones cuando mi madre se negó a la morfina para ofrecer su dolor por las personas que sufren solitariamente? No sé qué me avergüenza más: la inutilidad de la fe en este momento o mi respeto al valor de mi madre de soportar el dolor sin drogas.

Y sí soy especialista en muerte, pero en ello no tiene nada que ver mi supuesta vida piadosa. En mi existencia le he dedicado más tiempo a los pensamientos sobre la muerte que a rezar. De niña deseaba morir, porque de alguna manera intuía que sólo así me enteraría de todas mis dudas: quién es Dios, cómo es, si hay un cielo, si la gente que muere ahí tiene vida; sí, de seguro allí me serían contestadas todas las preguntas que mi madre evadía. Pero luego me angustiaba. ¿De qué me servirá saberlo todo si ya estaré muerta?

Esta noche pienso que no es necesario decirle nada a mamá. En unas horas, cuando mucho, su conciencia atravesará con sabiduría benevolente mi mente. Entonces me perdonará. Entonces me volverá a amar como me amó.

*¿Sabes cuándo tuve la certeza de que el dolor había llegado a mi vida para acompañarme siempre? Estaba esperando afuera del salón de tu tía Rita, a que saliera de clases para irnos juntas a casa. Por alguna razón la habían entretenido más de la cuenta. Yo observaba por la ventana. Ella estaba parada frente al pizarrón y la maestra le gritaba algo. Tu tía siempre fue así: muy bella (para mí, que era la más bonita de las cinco); tenía unos ojos enormes, con unas pestañas rizadas que casi rozaban las cejas; su cabello era castaño claro, ondulado, y siempre traía unas trenzas así de gordas de tanto pelo que tenía. Pero era tonta. De pronto, vi que la maestra la tomó de una de las trenzas y la azotó contra el pizarrón, como si hubiera lazado a una bestia con su*

*trenza castaña y gruesa, para someterla. Lo hizo una y otra vez. Y en el rostro de tu tía no vi nada. Ni susto ni vergüenza. Ni indiferencia. Ni rabia. Vi idiotez, dolor, resignación. Yo la vi, y lloré con la misma expresión que ella. Con cara de idiota. No teníamos el cobijo de ningún amor y eso mata la capacidad de indignación. Nadie te ha enseñado una dignidad diferente a la de una bestia.*

*Cuando al fin salió, después de que todas sus compañeras habían salido, nos fuimos a casa, en silencio.*

*Yo pensaba que el dolor nos seguía. Nunca nos libraríamos de él. Nunca nos defenderían de él. Pero en ese momento decidí que no era yo la que sufría. Que la que sufría era Rita, la tontita.*

*Por eso siempre estoy al pendiente de ustedes. Me gusta ir al colegio para saber cómo van, para enterarme si hay algún problema entre ustedes y las maestras. Quiero que sepan que ustedes no están solas, que tienen padre y madre. Y qué orgullo que hasta ahora todo ha sido bueno, siempre con buenas calificaciones.*

*En lo que estábamos. Cuando llegamos a casa, mi papá andaba dando de gritos porque nuevamente le habían dejado unos gatos afuera de la casa, y él odiaba a los gatos. Los vecinos lo sabían. Ya nada más oíamos la cancioncilla «Liro liro con chinchín, el zapato de Agustín se lo puso el gachupín», ya sabíamos que habían dejado un gato en la casa o le habían hecho otra trastada a mi papá.*

*Nos pidió que fuéramos a tirar los gatos. Allí vamos, Rita y yo, con los gatos adentro de un saco, maullando sin cesar. ¿Sabes cómo los matábamos? Caminábamos hasta un hoyo donde la gente tiraba la basura, sacába-*

*mos al gato, lo agarrábamos de la cola y le dábamos*
*vueltas hasta que al fin lo azotábamos contra el fondo.*

*No nos gustaba hacerlo. Yo siempre cerraba los ojos y*
*trataba de cantar en mi mente, liro liro con chinchín...*
*Esa tarde, Rita me pidió hacerlo ella. Mientras le daba*
*vueltas al gato, yo recordaba a la Rita azotada contra*
*el pizarrón.*

*Por eso no nos quieren, Rita, por gachupines. Rita*
*sonrió con orgullo.*

Mamá siempre estuvo consciente de su existencia y su entorno. Ahora que recuerdo las historias que nos contaba veo claramente: cuando fantaseaba y exageraba las historias era para hacer hincapié en algo verdadero y crucial para entender su vida; pero otras veces hilvanaba los harapos de la realidad para tejer una suprarrealidad que la alejara de ese dolor al que se había resignado. Viene a mi mente el recuerdo de una foto suya cuando era niña. Está con su ropa vieja, un vestido que planchado y limpio pudo ser noble. Tiene esas trenzas gordas de las que presumía, casi deshechas, pero culminadas con unos enormes moños raídos. En una de las manos tiene un balde golpeado; con la otra, detiene a una cabrita blanca y flaca, tirada de un lazo. En sus manos veo miseria, en su apariencia veo miseria. Pero está parada totalmente erguida, con una sonrisa dulce e inquisidora. Era tan significativa para mí esa foto que cuando me sentía sufrir (muy frecuentemente) iba por ella, para observarla. ¿Por qué parecía feliz, afuera de esa casa ruinosa, con los adobes desnudos? Mamá buscaba en los escombros de esa vida deplorable los elementos de la existencia que ella deseaba. No escapaba. Ponía los pies en esa tierra, abría los ojos y construía su sueño. Y su sueño no era mediocre. Quería ser feliz.

Nunca soportó que escapáramos de la realidad que ella delimitó alrededor de nosotros. Nuestro estatus sobre las demás niñas era el amor desbordante de madre y padre. Ella misma nos hacía la ropa, ella misma la diseñaba. Papá trabajaba hasta quince horas diarias, espoleado por la visión de sus tres hijos esperando su amor en la profundidad de la noche.

No puedo llorar delante de mamá; sólo agito el interior de mi conciencia para preguntarme por qué desprecié este amor extremo. Veo a mi madre, desapareciendo debajo de las sábanas, empequeñecida, dolorosa, siempre mendigante de mi amor. La veo tan sola como cuando de niña esperaba en el monte la llegada de su madre ausente, o el carro de tío Cayetano con la abuela, porque ya tenía tres días sin comer algo más que los guamúchiles que caían de los árboles.

Veo a la niña sosteniendo un balde lleno de amor que dar a alguien, alguien que tantas veces observó esa foto pensando sólo en el fastidio de un amor excesivo, cuestionando qué motivos arrancaban sonrisas a esa niña.

Mi madre mendigante. Y yo distante del radio de su amor.

*Mis tíos Ignacio y Maricarmen tenían una niña, Carmelita. Era un crisol de bucles rubios. Tenía la edad de tu tía Trinita. Durante nuestras estancias en casa de la* abuela Remedios podíamos jugar con ella, porque sólo entonces estaba garantizada nuestra limpieza.

Cada una de mis hermanas se entretenía en lo suyo. Teresa y Leonor preferían aprender costura y cocina, junto a las tías Amparo y Angelines. Rita pasaba las horas en el espejo, peinándose y volviéndose a peinar. Y aunque tu tía Trinita parece la más dulce de las cinco, cierto orgullo la apartaba de Carmelita.

Yo sí me sentía inferior a Carmelita, por eso me acercaba a ella. Yo siempre quise ser más de lo que era, no ser otra persona, no; ser más de lo que era: ser más guapa, ser rica, ser agradable ante los demás. Estar cerca de la gente que era más que yo me hacía sentir una igual. Por eso les digo que se fijen muy bien en sus amistades.

En lo que estábamos. Observaba mucho. Veía cómo Carmelita movía la cabeza hacia un lado, como una reina delicada a punto de ser coronada; me fijaba cómo pasaba sus manos con suavidad por la falda para sentarse correctamente; escuchaba el elegante susurro de las telas de su vestido ancho.

Tal vez un día sería así, imaginaba. Mi padre tendría éxito en uno de los negocios que emprendía con frecuencia, mi madre entonces lo amaría y ya no se iría. Siempre estaríamos limpias, elegantes y peinadas. Cuando caía en cuenta de que ese era un cuento, me era más fácil pensar que yo tendría hijas y que serían como Carmelita.

Yo no soy Carmelita, decía en mi interior, cada vez que mamá me arreglaba con el aderezo "es que cuando yo veía a Carmelita". No, no tengo por qué andar con estos vestidos que pican, ni peinada con bucles a costa de dormir toda la noche con tubos en la cabeza. No lo quiero todo. Ni muñecas de porcelana en una vitrina especial. Y lo peor, no soy como Carmelita, no soy así de amorosa como Carmelita.

*Me encantaban las muñecas. A eso jugaba con Carmelita. Ella las compartía conmigo, era tan atenta y dulce. Por eso me gusta mucho que jueguen y compartan con las niñas de Chema. ¿En qué estábamos? Ah, en que las muñecas eran de sololoy y de porcelana. una ocasión en que llegó tu abuelo por nosotras me vio jugando con Carmelita. Se detuvo un buen momento, extraño en él porque era indiferente hacia nosotras.*

*Nos llevó a casa y al siguiente día llegó con tres muñecas, una para Rita, otra para Trini y otra para mí. Pero no eran de porcelana ni de sololoy. Eran de cartón, con una goma muy apestosa. Yo no jugaba a las muñecas, sino a Carmelita jugando a las muñecas. Mis hermanas eran las niñas pobres que jugaban conmigo, y con las que yo generosamente compartía mis juguetes.*

Ay, mi muñeca de sololoy, era un cariño frecuente en mamá. Yo no sabía qué era sololoy. Pero era algo que a mamá le parecía bello. Era su muñeca. No sé qué pensaba mamá cuando me mimaba y yo dirigía mi mirada al vacío de la realidad. No sé qué sentía de que yo no sonriera, de que no respondiera su caricia. La amaba. Me sentía orgullosa de ella. Pero necesitaba su amor más como techo que como abrigo.

Cuando llovía, me gustaba ver los relámpagos a través del ventanal. En ese momento aceptaba el amor de mis padres y agradecía por ello. Me hacía feliz que mientras afuera azotara la lluvia, yo estaba custodiada bajo el techo de casa. El peligro inminente afuera me hacía más consciente del resguardo en el que vivía.

La lluvia y la adversidad me hablaban del amor de mis padres, no su abrazo asfixiante.

*¡Jesús mil veces! No me gustan los rayos, les tengo pánico. En eso saco a tu abuelo. Cuando llovía, él ordenaba tapar los espejos de casa, teníamos que sentarnos con la precaución de no tocar con nuestros pies la tierra ni el hierro de las sillas. Nos cubríamos la cabeza para no generar electricidad con nuestro cabello. Y cerrábamos los ojos, muy apretados, para no ver la tormenta eléctrica. Papá comandaba esas acciones, haciéndonos que a cada trueno imploráramos: ¡Jesús mil veces!*

*No sé de dónde le venía su miedo a los rayos. En cambio tu abuela, aunque igual de temerosa, no nos instruía. Se echaba en nuestra cama, se cubría la cabeza con una sábana y no volvía a hablar.*

*Mi trauma era mayor porque a mí me cayó un rayo. Bueno, no a mí exactamente, sino en un árbol cercano. Todo empezó porque un vecino, le prestó una pala a tu abuela. Ni sé para qué la quería, si nunca hacía nada en casa, menos sembrar. Empezó a llover y a tronar el cielo, y se le ocurrió que yo devolviera la pala. A mí me daba mucho miedo y le rogué que no me enviara, que esperáramos a otro día, cuando se calmara la lluvia. Pero me envió, después de dos azotes con una vara de carrizo.*

*Tomé la pala y caminé hacia la casa del vecino quien vivía retirado. Cuando de pronto, una fuerza enorme me aventó a unos metros más adelante con una descarga de electricidad. Se siente como un golpe tremendo que viene de dentro y que te acalambra todo el cuerpo.*

*Caí inconsciente; tu abuelo regresaba a casa y me levantó después de que estuve un tiempo allí tirada. A veces tus tías y yo discutimos si tu abuela se dio cuenta de lo que me había sucedido. Trinita y yo decimos que sí. Leonor y Rita que no y Teresa se queda callada, pero yo no soy tonta.*

*¿Cómo crees que no voy a seguir teniendo miedo a los rayos?*


(¿Sabes qué decía papá cuando cantabas? Qué vozarrón tiene la mujer, parece un trueno. Y a mí me parecía lo más bello y amoroso que mi padre podía decir de ti. Lo más bello y amoroso que un hombre puede decir de una mujer. Sé que nunca te lo dije, pero siempre quise cantar como tú. Tener tu voz y tu desinhibición. Cuando me metía a bañar y cantaba a todo pulmón, me imaginaba que no estaba sola. Me imaginaba en medio de una fiesta, cantando para todos los amigos y familiares, con voz potente, de trueno, siendo el centro de admiración de todos. Me encantaba verte en las fiestas. Siempre has sido tan elegante, tan bella; imaginaba que eras una artista de verdad y que yo era tu hija. Imaginaba que un día iba a cantar contigo y que todos nos aplaudirían. Y que nos presentarían como «las voces del trueno».)

*Siempre me gustó cantar. Y era muy fantasiosa. Me iba al monte, me sentaba en una piedra e imaginaba ser una artista de cine o una de las que cantaban en las carpas que iban a la ciudad. Me ponía en pose, cantaba y gesticulaba como las artistas. Nadie me veía. Mi voz resonaba en todo el monte, como si tuviera un micrófono potente. Una vez descubrí que un muchacho me escuchaba, justo detrás de mí. Eh, se cree artista, se burló. Mi mano estaba levantada hacia el cielo, me callé al momento, bajé la mano y salí corriendo, llorando. Pocas veces he pasado una vergüenza mayor. No hay nada peor a que alguien te devuelva a la realidad cuando tú estás instalada en la fantasía. Tal vez más que la vergüenza, duele la realidad. ¿Qué tenía que ver yo, con mi vestido roto, mis trenzas deshechas y piojosas, mis rodillas roñosas, con las artistas de moda, con sus vestidos de noche, entallados, con su piel suave y blanca, su cabello brillante y acomodado? ¿Qué tenía que ver la resolana, la piedra, el monte, el hormiguero, las choyas de alrededor, con las fastuosas cortinas de un cabaret, con los reflectores que caían como un cono de luz sobre la artista?*

Yo no me preguntaba qué tenían que ver mis sueños con la realidad. Me preguntaba qué tenían que ver mis padres con mis sueños.

Cuando entré a la escuela fue por una exigencia de mi parte. Ya sabía escribir y hacer cuentas. La casa ya me aburría y no podía aprender más. Fue tal mi demanda, que mi padre creyó conveniente pagar por mi educación. Avizoraban una niña brillante. Y una niña merecía una educación más especial y delicada que, en su modo de ver, garantizaban las monjas.

Mi padre estaba tan orgulloso como temeroso de su decisión. Mamá sólo estaba orgullosa. Su niña iría tan linda como la suponía, con su uniforme de colegio. Así como Carmelita, que había estudiado con las monjas.

Ahora sé que la situación económica era muy tensa, debido a que mi padre ahorraba casi el total de las ganancias para asegurar la siembra próxima, y si era posible, aumentar un poco más la producción.

Mi padre seguía siendo ese muchacho de ejido que se sentía en desventaja en la vida urbana. Todavía recuerdo cómo nos llevaba de paseo a la orilla de la carretera, bajo los árboles, en lugar de llevarnos a un parque o al cine; o cómo teníamos que permanecer en el coche cuando íbamos por unos helados, porque ese ambiente era demasiado presuntuoso para él.

Ese hombre campesino tenía miedo de que su pequeña hija fuera al colegio. Yo lo noté desde el momento en el que salí con mi uniforme de casa y me subí al coche. Lo noté en el nerviosismo con el que me subió al banquito para que me tomaran la foto de requisito. Lo noté cuando me llevó de la mano por el largo pasillo del colegio; su mano grande y callosa sudaba, y las manos callosas no sudan. Lo noté en la forma en como cambió la voz cuando habló con las monjas, contestando con una voz más queda y aguda, con monosílabos enlazados por un «eeehhh» que se apresuraba a cerrar en el siguiente monosílabo.

El temor de mi padre solía ponerme pruebas constantes. Se ponía la peor ropa cuando iba por mí o a pagar la colegiatura o a recoger mi boleta; o cuando más sucio andaba, llegaba de improviso al colegio y se paraba en la puerta de mi aula.

Mi maestra no era monja, pero más hubiera valido. Era un sargento que cerraba los postigos para poder pegarnos sin que se enteraran las religiosas. Yo estaba bien adiestrada. Así es que cuando llegaba papá así, aunque me extrañaba, le sonreía rígida como un palo, para que la maestra no me pegara delante de él. Me daría vergüenza y él le recriminaría a la maestra y se gritarían.

Papá, sin llamarme, se retiraba. Cuando era mi hora de salida lo buscaba vanamente. Al llegar a casa, en el autobús del colegio, encontraba a papá en el patio, sentado pensativo y mamá muy seria me llamaba aparte: Papá está muy triste, porque parece que te avergüenzas de él. Fue a pagar la colegiatura y quiso saludarte. Tú lo ignoraste totalmente. Tu padre está haciendo muchos esfuerzos por pagar tu colegio, porque queremos lo mejor para ti, pero si vas a crecer como una engreída que se avergüenza de sus padres, óyelo bien, te vamos a sacar del colegio y te meteremos en la escuela de Rafa.

Pero mamá, pero mamá, pero mamá... Sólo trataba de interrumpir y de explicar. No. Papá ya me había puesto una prueba para saber si mi amor era más grande que la verguenza. Y no me había aprobado.

Yo no quería darles pruebas a mis padres de que los amaba. Los amaba. Sin duda. Los hijos aman a sus padres porque sí, igual que los padres aman a sus hijos porque sí. ¿Por qué mi madre amaba a sus padres a pesar de todo? ¿Por qué era su película la que quería vivir, no la de la abuela Remedios? Porque sí.

No, a ellos no les bastaba. Ellos no amaban porque sí. Era su misión en la vida. Y para ellos nuestro amor debería ser un pago proporcional al esfuerzo que ellos hacían por trabajar, por dedicarnos días y noches a velar nuestros juegos, nuestros estudios, nuestros sueños, nuestra salud.

Yo no quería dar pruebas. Nunca quise pagar las deudas de amor que sus padres les habían heredado.

Ni esta noche. No estoy pagando nada al velar la agonía de mi madre. Lo hago porque sí, porque quiero estar con ella, porque no quiero que muera sola, porque no quiero que papá la vea morir, porque no quiero que Rafa llore.

Porque quiero a mi madre y la única tarea que esta noche me resta es amarla, porque sí.

*¿Ya te ha contado tu abuelita que cuando tenía 14 años mi papá la pidió en matrimonio? Así era antes. En esa época la familia de mi papá vivía en una pequeña comunidad colonial en la sierra y él bajaba a la costa a arreglar negocios familiares. Allí llegaba a una fonda que tenía mi abuela materna, Panchita.*

*Mi papá era el señor Jimeno, don Rafael. Un hombre de negocios, muy distinguido. Era alto, delgado, con ojos azules y la nariz recta. Y aunque había nacido en la sierra, nunca dejó de ser «el español».*

*Mi abuela Panchita era una mujer muy vulgar. Tuvo tres hijos varones y una sola hija mujer, hermosísima; cada uno tenía un padre diferente. Mi abuela Panchita vio en mi papá una oportunidad de acomodar bien a su hija, antes de que la embarazara un pobretón del pueblo.*

*Un día mi abuela le ofreció a don Rafa, como le decía, a su hija Delia. ¿Le gusta mi hija, no, don Rafa? Sí, respondió papá, Delia es una chamaca hermosa, no bonita, fíjese en lo que le digo, sino hermosa. Llévesela, don Rafa. Ya sé que usted es de una familia muy distinguida, pero mi hija no los dejará en vergüenzas, ya ve que parece fina la cabrona; y si usted a sus treinta años no se ha casado, es porque nadie le ha movido el corazoncito, y mi chamaca se nota que sí se lo mueve. Y soltó su carcajada escandalosa, se reía igualita a la de mi mamá. Pues mi papá no esperó más y se la llevó ese mismo día; no porque su amor no pudiera esperar más, sino por temor a que mi abuela le quisiera cobrar por mi mamá o que se quisiera ir con ellos.*

*Pero resulta que mi mamá ya tenía novio en su pueblo. Y cuando mi abuela Panchita le pidió que preparara su maleta, porque se iría con don Rafael Jimeno, mi mamá hizo un escándalo que lastimó la virilidad de mi papá. Y con más razón mi papá se apresuró a llevársela. Nadie estaba para rechazar a don Rafael Jimeno, menos una india hija de mujerzuela, como le decía papá a mamá cuando se enojaba.*

*Cuando va llegando tu abuelo con su familia, imagí-*
*nate. Mi abuela Remedios se quiso morir, por la clase de*
*muchacha que le llevaba. Para empezar era morena,*
*para seguir la llevaba en pecado, para terminar no*
*era de la alta sociedad del pueblo y como añadidura,*
*la abuela no tenía muchas ganas de que sus hijos se*
*casaran.*

*No aceptaron a mis padres en la casa de la abuela.*
*Así, de repente, mi papá por querer evitarse el pago por*
*mi madre, perdió su herencia.*

*El principal argumento que usó mi abuela Panchita*
*ante su hija para convencerla (Mira, mijita, este viejo*
*pelón y güero desabrido que dices tiene su buen billete,*
*vas a estar muy bien. ¿Aquí qué vas a agarrar, dime?),*
*quedó invalidado inmediatamente: la pareja se tuvo que*
*ir a vivir en una casa que le prestó uno de los mayordo-*
*mos de mi tío Ignacio; ahí fue donde vivimos.*

*Mi mamá siempre odió a papá. Lo insultaba dicién-*
*dole viejo pelón, bueno para nada, viejo desabrido.*
*Nosotras oíamos eso siempre. Yo iba y me escondía en*
*un baúl, que según papá lo había traído mi abuelo de*
*España lleno de telas finas; nosotros lo utilizábamos*
*para guardar nuestra ropa rota y sucia que vestíamos*
*simpre. Allí pensaba: pero si mi papá es tan guapo.*
*Tiene ojos azules y es español.*


Recuerdo que una vez le pregunté a mamá cuándo se
había enterado de esa «historia de amor». Sólo se encogió
de hombros, buscó en su baúl de trapos sucios y no supo
responder algo diferente a: más bien nunca la ocultaron.

No supe si esa naturalidad con la que mamá contaba las cosas era porque huía de dolor o porque siempre ha sido su amiga. Contaba las historias más crudas con una ligereza graciosa, imitando voces, llevando el dramatismo como si se regodeara en la narración. Pero ese pasado no era tan ligero si lo seguía llevando a cuestas y desembalando cada vez que lo narraba. Tal vez su relación con el dolor es la razón por la que varias veces me suplicó que no le aplicara morfina. Quiero sentir el dolor, Sara, lo conozco, no me asusta; quiero ofrecer este sufrimiento por mis padres, por los niños del mundo que crecen sin amor, por la gente que sufre sola.

Al escucharla meses atrás, no pensaba en la morfina y si cumpliría o no su petición, pensaba que de otra persona su solicitud me habría parecido de una ingenuidad enfermiza; pero viniendo de ella, ni la palabra desamor ni la palabra dolor eran parte de un vocabulario piadoso.

*Con frecuencia la abuela ayudaba a mi padre para que iniciara empresas, que por lo general acababan mal. Una vez le dio por poner un negocio de café. El café lo traía mi tío Cayetano del sur. Mi mamá lo tostaba, mi papá lo molía y nosotras lo empaquetábamos. «Café Peninsular» se llamaba. Tu abuelo lo repartía en su camioneta, que se llamaba «la morena».*

*Mi padre soñaba. Con esto haremos una gran compañía; ya verás, Delia, como nos da dinero. Las niñas van a andar como Carmelita. Tú te vas a sentir orgullosa de este gachupín pelón, pero ya no me dirás ni gachupín ni pelón. Seré el señor Jimeno, como cuando me conociste.*

*Pues más te vale, porque con que me tengas trajinando para nada, esta vez sí te dejo, viejo pelón.*

*Trabajar con papá no era una situación ideal. Cuando me cansaba o equivocaba y él me pegaba con una vara de carrizo en las corvas, yo cerraba los ojos y trataba de imaginar que después de vender esa bolsita, que yo empacaría con sumo cuidado, tendría la casa de tío Ignacio y los vestidos de Carmelita y mi mamá sería dulce como tía Maricarmen. Pero ¿sabes qué? No me consolaba. Prefería que papá no me pegara en ese momento, ni nos insultara a mí o a tus tías, ni que regresara vociferando: ¿Dónde está la puta de tu madre? Prefería ser pobre. Además no tenía por qué esforzarme en un sueño que mi madre se encargaba de tirar a tierra.*

*Los negocios prometedores se esfumaban junto a mi madre, muy arreglada entre el monte hacia un lugar que siempre quise saber dónde era, como para que ella lo prefiriera sobre el sueño de papá.*

*Así es que mi padre, en vez de llevar el café a los clientes, lo paseaba por la ciudad, siguiendo a donde iba tu abuela, buscándola en las vueltas de las esquinas, entre los chismes de la gente.*

Mi padre llegaba de trabajar poco después del anochecer. Mi madre siempre lo recibía compadeciéndose del polvo y del cansancio que traía a cuestas. Pero yo descubría la alabanza que eso significaba para mi padre, subía las cejas como un niño que sabe que ha resuelto bien el examen. Se sentaba a cenar. Y Rafa, Marijose y yo formábamos una cadena humana de la cocina al comedor para pasar las tortillas que mi madre recién había hecho; más frijoles, más licuado, más bistec, más queso, más tortillas, más frijoles y más queso. Papá casi no hablaba. Escuchaba de mi madre las noticias de su ausencia. Las noticias se referían a nosotros, los hijos. A mí no me gustaba ayudar en las labores, porque me distraía y hacía todo mal. Pero me gustaba escuchar lo que decían de mí. Aunque siempre me parecía decepcionante por corto: Bueno, y Sarita, ya sabes qué tranquilita es.

Luego papá se metía a bañar. Cuando salía, para mí se abría la puerta del mundo idílico. Mi padre inundaba el ambiente con su aroma a menta, a jabón, a lavanda, a agua escurrida. Se acostaba y era el momento en que nosotros, sentados alrededor, podíamos hablar. Hablábamos tonterías del colegio, de la casa, de los juegos, de los vecinos, de los pleitos. Yo no hablaba mucho; me dedicaba a inhalar profundamente los aromas que rebosaban en la habitación. Papá no nos escuchaba, según mis sospechas. Pero era suficiente verlo ahí, con una sonrisa de descanso en su cara; con ese cuerpo grande y fresco junto a mi madre, que lo tomaba de la mano, satisfecha de ese momento y a la vez apurada para que nos fuéramos a dormir. Cada noche era la prueba de que nos esperaba esta vida, que ya era buena, o una vida mejor.

*Mamá se fue. Le cumplió a papá su amenaza.*

*Mi padre no hizo fortuna en los primeros meses, dejaba de trabajar por perseguirla cuando ella dejaba la casa y ella se iba porque papá no lograba hacer dinero,* pero él no hacía dinero porque abandonaba el negocio por averiguar a dónde iba su mujer, con quién iba. ¿Le encuentras solución? No la había.

Papá se encerró en casa, a esperar a que mamá volviera. Días sin comer, días en que nos pegaba por todo y también por nada, que nos castigaba arrodilladas sobre sal a pleno sol, mientras nos gritaba una y otra vez: ¡Pobre de la que salga puta como su madre!

Un día vimos a la abuela Remedios llegar. Nos alegramos porque venía el rescate. Habló un momento aparte con papá, pero esa vez no nos rescató. No nos limpió los piojos, no desinfectó las llagas; no nos llevó a su casa para poder vivir la otra película.

Cuando la vi retirarse en su carro, rompí en llanto; era tan fuerte, que papá no se atrevió a pegarme. Si nos pegaba para herirnos, más herida yo no podía estar.

No sé si la abuela Remedios tuvo algo que ver, pero esa tarde, cuando casi oscurecía, mamá volvió. Y también la escena: papá de rodillas besándole las manos en el regazo, luego la fila de hijas fervorosas tocando a la santa que volvía de su procesión.

Nuestra película parecía iniciar. La historia de unos padres guapísimos, sosteniendo como inquebrantables pilares nuestro hogar. Las hijas creciendo, aprendiendo a peinarse ellas, a bañarse de vez en cuando, a despiojarse mutuamente. Mamá en la cocina, papá vendiendo café y repartiéndolo en su camioneta. Las cosas iban bien.

Mamá ya no salía sola. Siempre anunciaba ante todos: Me llevaré a la Concha, si viene su padre le dicen que salimos a un mandado.

*Ella siempre iba tan guapa, que ante mi nueva misión de dama de compañía, empecé a arreglarme más para que ella no se avergonzara de mí y para que yo no desmereciera a su lado. Pero siempre me dejaba en una esquina: Espérame aquí y no te mueves. No hables con nadie. Ella se alejaba con su peinado alto, con su espalda angosta y recta, con su cintura fina y discreta.*

*¿Sabría que una esquina era el peor lugar para no moverse? En verano, los rayos parecen concentrarse allí, doblarse sobre sí mismos para clavarse como lanzas ardientes. En invierno, los vientos chocaban allí y se colaban por mi vestido. Entonces me sentía desnuda. Desnuda hasta que ella llegaba. Y antes de que yo pudiera darle un beso, me daba la espalda y ordenaba: Sacúdeme. En medio del frío o del calor, allí en la esquina, sacudía la espalda de mamá, retiraba cada trozo de paja y hierba que se le había pegado al traje y al cabello. Me concentraba en mi trabajo. Mamá no necesitaba pedirme más, ni verificar si había retirado toda la basura. Juntas volvíamos a casa. Ella en silencio, yo preguntándome por qué siempre regresaba tan sucia.*

*Volvíamos a casa y papá nos recibía con una sonrisa. Todo iba bien.*

Cuando visitaba la escuela de Rafa, me daban ganas de quedarme. No olía al jabón y al perfume característico de las niñas del colegio. Olía a madera vieja de escritorios, olía a madera nueva de lápices corrientes.

Yo quería quedarme allí, donde los niños y las niñas corrían libremente por el patio, con sus vestidos de colores, sin uniforme. Insistí, hasta que logré que al siguiente año me cambiaran a esa escuela pública.

Cuidado con los piojos, siempre recomendaba mamá. Pero no tuve cuidado. Jugaba con las niñas y con los niños, nos abrazábamos, nos manoteábamos cuando jugábamos a corretearnos. Nuestras cabezas se rozaban al resolver juntos las cuentas.

Cuando mi madre me descubrió piojos, me sacó inmediatamente al patio, me pellizcó la cabeza con fuerza y en silencio. Yo no veía los piojos, ni comezón me daban. Mi cabello brillaba igual que siempre. Pero bastaba con percibir el dramatismo de mamá. Mi humillación llegó al límite cuando fue por el jabón con el que bañábamos a nuestra perra, y en el lavadero restregó con el jabón mi cabellera, como un trapeador.

Me ordenó bañarme. Cuando salí, encontré a mamá de espaldas sentada sobre su cama. Sus hombros se batían en un llanto silencioso.

*Nos empezamos a comportar como toda una familia. Los sábados, papá nos llevaba en «la morena» a tomar helado. Paseábamos en carro alrededor de la plaza principal, mientras lamíamos la vainilla y el chocolate de esa nueva vida. Por eso me gusta tanto el helado, es el sabor de la familia feliz, de la vida feliz.*

*Luego papá nos llevaba a la Lucha Libre. Él gritaba, mientras asestaba golpes al aire. Yo sentía cómo el sabor*

*a nieve iba desapareciendo de mi boca y empezaba a*
*aparecer un sabor ácido, de vómito retenido.*

*Toda la gente gritaba como papá. Los brazos agitán-*
*dose en el aire despertaban las aromas más desagrada-*
*bles que pueda recordar. Los luchadores se golpeaban y*
*el sudor de sus cuerpos salpicaba el aire, mis mejillas,*
*párpados, labios.*

*Buscaba secarme con mi brazo, pero también estaba*
*húmedo de mi sudor y el sudor de todos.*

*Así de fácil era desaparecer el chocolate y la vainilla.*

Todo era ambiguo en casa. Los gustos. Las respuestas. El dinero. Mis padres deseaban tener mejor economía. Mamá para darnos la vida de Carmelita; papá por una especie de mandato divino. Pero al tener dinero nos abrían la puerta a un mundo que no conocían, en el que se sentían ajenos. Había orgullo del dinero, pero a la vez vergüenza, culpa.

Papá concebía el trabajo obsesivo como parte del amor a su familia; sólo por eso, y no por ambición, construyó el patrimonio que con el tiempo logró. Hay largos periodos donde mi padre no aparece en mi niñez. Al preguntarle, mamá explicaba: Tu papá siempre ha trabajado mucho.

Sólo recuerdo la habitación en penumbra de mamá, iluminada por la luz fría y mortecina de la tele en blanco y negro. Veo a mi madre mover ágilmente sus manos, tejiendo cualquier cosa, mientras lucha emocionalmente junto con sus ídolos técnicos de la triple A: No, eso, ay, bestia, dale, hijos, cochino, así, así, ándale.

¿Te gusta eso? Le preguntaba en mi vigilia fantasmal. Mi madre callaba. A veces, acto seguido contestaba: No puedo dormir y es lo que hay. Otras veces me contaba eso de que mi abuelo las llevaba siempre a la lucha libre, el sudor que salpicaba, las aromas, los ascos. Gustos ambiguos.

En la escuela era la niña rica. Pero cuando íbamos a los helados era pobre. Nos compraban tres conos. Un cono doble de chocolate para mamá; y dos sencillos de vainilla para las niñas, decía papá. Me avergonzaba tomar helado enfrente de papá y Rafa sin compartirles.

Ambiguas las respuestas. Rafa, ¿por qué a ti no te compraban helado? No sé, yo creo que no alcanzaba el dinero. Papá, ¿por qué no le compraban helado a Rafa? No sé, porque ustedes eran niñas y él hombrecito.

*El negocio de papá marchaba. Esa nueva vida deman-*
*daba de nosotras otra actitud. Ya no más piojos, mejores*
*vestidos, planchados por nosotras mismas, peinados con*
*moños todos los días, zapatos con calcetines. Sólo nos*
*faltaba una cosa: vivir en una casa bonita. Y a mí, ser*
*blanca como tus tías.*

*Una mañana papá llegó a la escuela. Eso era parte*
*de la nueva vida. Nunca habían ido a vernos y saber*
*cómo estábamos. Me acerqué para que todo mundo se*
*enterara que ese señor rubio, alto y delgado, de ojos*
*azules, vestido con un pantalón oscuro era mi padre.*
*Al verme, papá se volvió hacia la maestra y se quejó:*
*Mire nada más qué prieta está Concepción. Sólo quiero*
*pedirle que por favor ya no la deje salir al recreo, porque*
*va acabar siendo mora. La maestra me miró y dijo: Ya*
*oíste, Concha. En lugar de rebelarme, me sentí avergon-*

*zada de que mi padre evidenciara mi color, un color del*
*que mi familia paterna se avergonzaba.*

*Pasaba el tiempo de recreo dentro del salón, encerrada*
*con llave, porque la maestra temía que saliera a escon-*
*didas. Yo no tenía deseos de salir. Adentro vivía otra de*
*mis películas. Verás, cuando yo era niña nadie usaba*
*mochilas; amarrábamos los cuadernos con una correa,*
*pero había una niña adinerada y con familia en Estados*
*Unidos, que llevaba una pequeña mochila cuadrada,*
*metálica. En cuanto ella salía a recreo y me quedaba*
*sola, corría hacia su maletita y la tomaba.*

*Durante la hora de recreo, caminaba por todo el*
*salón, maleta en mano. Yo era una muchacha viajera,*
*rubia, que iba de tren en tren, con una maleta cargada de*
*piedras brillantes y vestidos largos y elegantes. Durante*
*la hora de recreo, atravesaba una y otra vez el salón,*
*atravesaba el mundo.*

Regresé del recreo y me disponía a sentarme junto a mi
compañera de pupitre. ¡Sara!, de hoy en adelante tu asiento
está aquí, junto a mí, avisó solemnemente la maestra. Vi
un banquito a un lado de ella, en su propio escritorio.

¿Por qué? preguntó una niña que nunca se interesaba en
jugar conmigo. Para que no le peguen los piojos, sentenció
la maestra.

No sé si es posible que alguien se sintiera más avergonzada que yo en ese momento. Me estaban separando de
mis amigos, como si a mí me atemorizaran sus piojos.
Me estaban sentando en el escritorio de la maestra, allí
enfrente de todos, donde calificaban las tareas de todos.

Mi mejor amigo frunció los ojos incrédulo y despechado. Mi compañera de pupitre torció los labios y bajó la cabeza. A los demás ya no los vi, yo también bajé la cabeza.

A partir de ese día, no tuve compañeros de recreo. Sólo la maestra iba y me buscaba abajo de las escaleras o en el árbol sombrío que estaba en el patio.

Cómo te quiere la maestra, Sara; como no puede tener hijos, ha de reflejar en ti la hija que no tiene. Dice que eres una maravilla de niña, se jactaba mamá.

Cuando yo buscaba a mis compañeros, ellos al principio me engañaban con una amabilidad llena de venganza, que de repente reventaba en bromas humillantes, como cuando me levantaban el vestido para que todos (incluso mi mejor amigo) me vieran las pantaletas y dijeran a unísono el color (excepto mi mejor amigo) o cuando me pegaban entre varias niñas.

Nada odiaba más que el momento en que llegaba la maestra a defenderme y reforzar el resentimiento de mis compañeros. Sentía por mi maestra el respeto lleno de admiración que se siente por todos los maestros de la niñez. Pero también descubría en mí un desagrado persistente. Ella me alejaba de mis amigos, ella me abrumaba con sus atenciones y alabanzas. Y yo sólo quería jugar, aunque me pegaran los piojos, aunque me golpearan y humillaran.

*Todos dormíamos en ese absoluto silencio que permanecía en casa por las noches. Por eso era más fácil escuchar los ruidos afuera. Y una serenata no era cualquier ruido.*

Mamá se levantó primero y se asomó por la ventana, que sólo estaba protegida por una cortina. Algo cuchicheó. Detrás de ella, miré la espalda ancha de papá quien se acercó y la arrojó con facilidad al suelo.

Ya nadie más se preocupó por ocultar palabras y miradas. Papá salió a gritar a quien afuera gritaba: Delia, sal por Dios, Delia, sólo déjame ver tu carita. Delia, ya ha sido demasiado tiempo. Te quiero, chingada madre.

Cuando empezamos a escuchar los golpes, los quejidos, los jadeos de la refriega, yo me levanté para saber si era papá quien estaba ganando.

Mamá encajó desesperada sus uñas en mi brazo y con un susurro desesperado preguntó: ¿Tú papá lo está golpeando, Concha? Fíjate bien. No, era mi padre quien en el suelo recibía patadas de un joven alto, robusto y con unos rizos que se agitaban entre las sombras.

No entendía bien lo que sucedía, pero dos cosas tenía claras: no tenía por qué haber otro hombre reclamándole amores a mamá; y papá seguro moriría a golpes.

No respondí a la pregunta de mamá. Salí corriendo de casa. No auxilié a mi padre. Me metí al baúl lleno de ropa sucia. Era el mejor escondite.

Prefería percibir desde ahí el remolino de gritos, donde no se distinguieran las voces de papá moribundo, las voces llenas de despecho del hombre desconocido, el llanto humillado de mamá.

Un alacrán me picó en el pie y mi llanto no significó nada en medio de aquel drama.

(¿Sabes que no tengo miedo de que te vayas? Porque no veo miedo en ti. Eres tan fuerte y tan digna. Tengo miedo de lo que pasa después. Miedo de lo que pasó después de que murió Marijose. Miedo de ver a papá llorar. Cuando era niña, él hacía todo lo posible por evitar que yo llorara. Eso le debo ahora. Papá quería estar aquí, contigo. Pero no lo permití. Haré lo posible por evitar que llore.)

Dicen que todos los niños sufren periodos de terrores nocturnos. Yo tuve un periodo muy largo y preocupante para mis padres. No se trataba de un pánico sin nombre. Mis miedos tenían nombres, imágenes.

Siempre aparecían conejos muertos. Hombres con los torsos desollados, gente enterrada debajo de la cama de mi hermana o en la pijamera de la mía.

Ahora sé que mi imaginario infantil hizo una combinación inquietante, no de símbolos sino de experiencias, que me enfrentaba a la primera asimilación sobre la muerte.

Todo empezó cuando mis padres decidieron llevarnos a conocer al abuelo Rafael. Mamá tenía más de 15 años que no veía a su padre. Estaba nerviosa y daba órdenes aburridas y contradictorias.

Cuando vean al abuelo, denle un beso.

No pregunten si su esposa es la abuela; no lo es.

No se le acerquen mucho al abuelo.

Pórtense bien.

Sean amables con su esposa, es muy buena persona.

Sean naturales y desenvueltos.

Hay tres imágenes que recuerdo perfectamente de aquel encuentro con el abuelo, sin saber en qué secuencia se dieron. Primero, la forma en que el abuelo extendió su mano y saludó a mamá con una distante amabilidad ¿Cómo le va, Concepción? Mi madre tomó la mano del abuelo entre las suyas y se la llevó a la cara, la besó y la entretuvo en medio de su llanto. El abuelo se veía incómodo. Y pensé que tal vez mi abuelo no quería a mi madre porque mi tía la había elegido en el cunero, no él. Y tal vez al abuelo no le había gustado la elección.

También recuerdo a Rafa, que imprudentemente se le abrazó con fuerza a las piernas; mi padre trató de apartarlo, pero el abuelo sonrió con pudor y dio dos palmaditas en la cabeza del niño. Pensé entonces que el abuelo de seguro también creía lo que decía la abuela: que Rafa y él eran igualitos hasta en el nombre.

Y sobre todo recuerdo la enorme cría de conejos que el abuelo tenía. Guardo en la memoria las jaulas en las que estaban, los colores de los conejos, pero no la forma en que saludé al abuelo. A partir de ese momento, emprendí la campaña de ir y venir de la sala a las jaulas, para susurrarle a mi papá: Quiero un conejo, dile al abuelo. Papá seguía hablando con el abuelo. Papá me ignoraba. Luego iba con el conejo que más me había gustado, veía sus ojos suplicantes, como rogándome que lo rescatara y le decía: Ahora vengo por ti, no llores.

Como el recorrido continuaba y también la impavidez de mi padre, empecé a llorar. Papá me sacó de la sala: Ya no llore, mijita, me consolaba avergonzado, si quieres un conejo yo te compro uno, pero si se lo pides a tu abuelo, se puede enojar. Entonces fui yo con el abuelo, agité su mano, esa que mi madre había besado, y le pregunté: Abuelo, ¿me regala un conejo? Al cabo que tiene muchos.

Hubo un silencio tenso, hasta que mi abuelo rió y dijo: Qué curiosa la muchachita. Me tomó de la mano, me llevó a las jaulas y preguntó: ¿Cuál quieres? Elegí mi conejo y me sentí contenta, porque esta vez elegí algo que sería para mí. Porque aunque yo había escogido a mi hermanita, no era sólo para mí.

La coneja me sacó del anonimato de la familia. Esa niña que nunca daba la nota, que era yo, de repente era el centro de la anécdota: ¿Y adivine qué, madre? Sarita se atrevió a pedirle la coneja a papá. ¿Al viejo pelón neurasténico?

Yo era valiente y la iniciadora de algo. Pronto mi coneja tuvo macho y luego crías y luego crías de las crías. Llegamos a tener más de cien conejos y las actividades y fisonomía de la casa se modificaron. Todo el muro del patio estaba circundado por jaulas de conejos, en el centro había comederos y en el jardín sembramos alfalfa. Rafa entrenó a nuestra perra para que nos ayudara a atrapar los conejos y así volverlos a meter a las jaulas.

Cuando amigos o familiares de mis padres llegaban a preguntar por la cría tan grande, siempre salía a relucir mi nombre. Yo sonreía sonrojada y orgullosa. Ya se hablaba algo más de mí, no sólo: Ya ves qué buenita es. Pero junto con las preguntas llegaron las sugerencias: ¿Sabes una receta de caldo de conejo? ¿Has probado el conejo asado?

Mis padres planearon una fiesta muy grande y al momento de elegir el día, mi madre propuso el día de San Rafael. Escuché la discusión entre ella y mi abuela. ¿Pero por qué justo el día del pelón? Pues porque también es día de Rafita. Ah, pues es lo que siempre me he preguntado, ¿por qué Rafita se llama Rafael como el viejo pelón? Pues es mi padre. ¿Y por qué a Marijose le pusiste ese nombre espantoso y no Delia como tu madre? Ay, mamá, ya no voy a discutir; la fiesta de San Rafael y se acabó. Y para acabarla de chingar no sólo es día, sino también cumpleaños del viejo pelón.

Ese día desperté por los ladridos de la perra afuera de mi ventana. Se escuchaba mucho movimiento en casa. Había música norteña en el patio, voces de hombres. Salí al patio y del tejado del porche colgaban en hilera las patas de... ¿Eran conejos o no eran? Tenían la cabecita y las orejas largas colgando, pero no tenían pelo, no tenían piel. Se veía una carne rosada, lisa, membranosa. No lloré. Muda, como sólo puede estarlo alguien aterrado, me dirigí a buscar a mi coneja. Ahí estaba, arrinconada en su jaula; me miraba como cuando la conocí en casa del abuelo, suplicándome: Llévame de aquí.

Desde esa esquina del patio, sentada con mi coneja en el regazo, vi con impavidez cómo mataban a los conejos con un martillazo en la cabeza, en el centro de la frente. Les quitaban la piel como si fuera un abrigo ajustado. Y los dejaban desangrar.

Estaba ante algo que no podía explicarme pero que tampoco era capaz de preguntar. Horror. ¿Qué era eso? ¿Qué poder hacía que esos hombres con ese golpe pudieran transformar los conejos vivos, inquietos y tiernos, en ese pedazo desnudo de carne, desprovisto de movimiento, de ternura, de respiración? Los ojos parecían de pez. La mirada los había abandonado.

¿Cómo es la muerte? ¿Por qué no se remedia? ¿A dónde va la vida cuando muere? La vida toda se convirtió para mí en una interrogante más aplastante todavía. Y mis padres no me liberaban de esa interrogante, sino al contrario, me apesadumbraban todavía más con cargas que me dolían soportar.

Cuando repetían la historia de cómo había empezado la cría, ya no me sabía a lo mismo. La valiente Sarita, la graciosa Sarita, había iniciado esa pesadilla en el patio.

Al siguiente día de la fiesta, papá y Rafa fueron a llevarle al abuelo un cazo con gazpacho manchego, que habían preparado según la receta del abuelo Rafael.

No volvieron pronto y mamá empezó a inquietarse. De repente, todo fue noche y murmullo. Tía Teresa llevó a casa a Rafa y se llevó a mi madre. Mientras mamá subía al carro me di cuenta que estaba vestida de negro y ella nunca vestía de ese color. Vi que abrazó a tía Teresa y se fue llorando. Rafa tenía la misma mudez y terror en el rostro que yo un día anterior en el patio. Por favor, escóndeme de la abuela, me suplicó. La abuela se acercaba a nosotros con una carcajada abierta. ¡Te tocó verlo! ¡Qué bueno! ¡Todo se paga en este mundo! ¡Ojalá haya sufrido mucho el viejo pelón!

Nos fuimos a esconder detrás de la cama donde dormía Marijose. Rafael me veía con ojos enormes y la respiración entrecortada: Llegamos y el abuelo estaba solo, sentado en el sillón, con los ojos abiertos y la lengua de fuera, así.

*Salí del baúl y corrí hacia la cama donde estaban mis hermanas. Escondían sus rostros debajo de las sábanas. Sólo salían los ojos enormes que nos caracterizaban a las cinco. Todas lloraban, menos Teresa. Me acerqué y le dije con voz rendida, como si ya no hubiera nada que hacer, más que morir: Me picó un alacrán.*

Tal vez en esa frase Teresa encontró provisionalmente, sólo por aquella noche, su sentido dentro de la
vida miserable que teníamos.

Se levantó resuelta. Me acostó en la cama y salió
rápidamente al monte, en medio de la oscuridad más
terrible que nunca habíamos visto. Ya no escuchaba nada
de aquel triángulo amoroso. No porque hayan callado,
sino porque escuchaba un zumbido fuerte en mis oídos,
como mil cigarras revoloteando en mi cabeza, entrando
por mis oídos, por mi boca. Sí, aleteaban en mi lengua,
las sentía.

Teresa volvió pronto, exprimió el aguijón, machacó
con una piedra unas hierbas que trajo y puso algo fresco
y pegajoso en el dolor de mi talón.

Iba y venía. En mi frente y pies puso trapos mojados
con el agua serenada. De pronto hacía calor. En medio
de la noche sin luna, un sol fuerte llegó. Parecía una
mañana eterna, una mañana que nunca conoció la
noche. Mi pie ya no dolía. Abría la cortina floreada
de la puerta y la tela se rasgaba en lianas de olorosos
narcisos.

Enfrente de mí tenía un jardín de pasto liso, verde.
Había columpios de lianas que me paseaban de un jardín
a otro, de un jardín a otro, alejándome de casa. Mis pies
volaban, mi cabello limpio y oloroso a narcisos volaba,
mi pomposa falda blanca volaba. El sol y el aire me
cosquilleaban. Reía a carcajadas, me alejaba de casa.

¿Qué había en casa de mi madre que la ataba? Nada. Ni siquiera una puerta a la cual poner una cerradura. ¿Y por qué nunca escapó?

Mi casa tenía amor, unidad, lo único que no tenía era una razón para abandonarla. Y yo siempre la quise abandonar. Siempre quise estar lejos de esta madre perfecta. Lejos de mi padre perfecto. Lejos de mi casa bella y perfecta.

¿Por qué desde que nací tengo ese desapego? ¿Por qué a mi mente nada le parecía suficiente? ¿Por qué amo así, navegando eternamente en una barca solitaria, sin ancla?

La misma llave que me encerraba en mi interior frío y distante era la llave que me liberaba: mi mente. Una mente que no estaba encerrada en mi cuerpo mortal, sino que traspasaba mi propia conciencia y paseaba en libros, historias, mundos, visiones, paisajes, miradas, sueños.

Mi mente era profunda y extendida, un mar agitado e impenetrable.

No. Yo no era buena.

De niña todos creían que lo era, pero estaban en un engaño. Por las noches tenía pesadillas terribles. Soñaba que un hombre vestido de negro y antifaz, con cuchillos y martillos, nos acechaba debajo de la cama de mi hermana. Soñaba que yo escapaba y cuando me alcanzaban, me descubría el torso desollado. Soñaba que mi pijamera olía a podrido y cuando la abría encontraba al abuelo Rafael ahí, con los ojos abiertos, mordiendo su lengua. Miraba a Marijose dormida con sus ojos entreabiertos y pensaba que estaba muerta y gritaba.

Esta niña algo malo trae adentro, trataba mi abuela de convencer a mamá. A mis padres les mortificaba que cada noche se repitiera el mismo terror, que no durmiera, que no quisiera explicar exactamente lo que soñaba y veía.

Me pedían que rezara, pero Dios y mi ángel de la guarda no llegaban solos. Llegaban con pequeños demonios que agravaban mis pesadillas y las angustias insomnes.

Duerme, mi niña, todo está bien, me acariciaba mi madre. Pero su voz era débil y ridícula en comparación con la guerra que tenía dentro de mí, donde el bien y el mal se debatían por mi alma.

Tía Teresa y su marido estaban en un movimiento religioso. Mi madre les llamó y ambos acudieron. Me regalaron el cuadro de un Jesús crucificado sobre un fondo negro. Un Cristo lleno de heridas y de sangre. Me regalaron el cuadro de un hombre muerto. Martirizado. Lo pusieron en mi cabecera, en lugar de ese cuadro del ángel de la guarda que vigila a un niño cruzando un puente roto. Me pidió que lo mirara de rodillas.

Cuando lo vi, pensé: ¿Cómo Dios pudo sufrir eso? ¿Qué nos espera entonces a nosotros? No sabía que alguien sufriera a ese extremo, así, clavado en una cruz. Sabía que a la gente le daban infartos, como al abuelo; que las personas se accidentaban, se enfermaban o morían. Al ver la cara apacible, abandonada en el dolor de ese hombre, me dije: Si siendo Dios nadie puede ser más bueno que él, tampoco nadie puede sufrir más que él. Y si sigue vivo y es Dios aún después de morir, la muerte no ha de ser tan terrible. Estas ideas me tranquilizaron mucho. Tanto que dejé de estar recta sobre mis rodillas y me senté sobre los talones.

Tía Teresa me ordenó erguirme de nuevo. Y pintó nubarrones en la liberación que acababa de tener. Escucha bien, Sarita: cada ofensa y cada pecado es una herida más al cuerpo de Jesús; somos nosotros quienes matamos a Jesús y lo seguimos haciendo con nuestros actos malos.

Quise volver a sentarme en mis talones, ya no por sentirme liberada, sino porque tía Teresa puso sobre mi espalda una carga que una niña de siete años no puede soportar.

Luego mi tía se volvió hacia mamá y le dijo: Ahora rociemos con agua bendita la casa. Dimos un recorrido, mientras rezábamos padrenuestros.

Cierto que a partir de ese día las pesadillas acabaron. No sé si por el agua bendita, como siempre contaba mi madre o más bien por mi reflexión de que nadie podía sufrir más que lo que Jesús había sufrido y que la muerte no era tan muerte.

Gracias a Dios la pesadilla acabó, repetía mi madre a papá, a sus hermanas, a las vecinas, a las amigas; a todos los que estaban enterados de mis problemas.

Pero todo inició. Mi espiral de dudas y tormentos sólo dio una vuelta más. A partir de ese día me torturaba pensar que si mentía en algo mínimo, era un escupitajo de mi parte a Jesús. Si peleaba con Marijose, era un latigazo. Si le robaba algún dulce o alguna moneda a Rafa, era el sable hundiéndose por el costado.

*No recuerdo una mañana más desolada. La luz de la mañana azotaba la casa, hasta vaciarla. Mi casa parecía una sábana tendida al sol.*

*Y en medio de esa profunda soledad y abandono, hilos de sangre me bajaban por las piernas hasta mis tobillos.*

*El alacrán me mordió no sé dónde, mira la sangre, me voy a morir, le dije a Teresa.*

*No, Concha. Ya eres señorita, me anunció Teresa con tono grave, como se dice: Ha muerto.*

*No estaban mamá ni papá. Sólo mis hermanas. Todas mayores que yo. Todas ya señoritas. En silencio parecían lamentar mi sangre. Era una enfermedad. Porque al enfermarte te convertías en señorita. Salieron de casa. Yo corrí hacia el espejo para verme. Tenía mis trenzas deshechas, como todas las mañanas, mis labios secos y blanquecinos, como todas las mañanas, mi mirada más chica y perdida como todas las mañanas. No era señorita.*

*Regresó Leonor con unos paños doblados en forma alargada. Póntelo así... No, tonta, abajo de los calzones. ¿Me voy a morir? Nadie se muere de esto. Ahora amárratelo con este mecate. Hazlo bien, se te va a caer. ¿Me voy a morir? Nadie se muere de esto.*

*Teresa me trajo una palangana con agua. Lávate. Entonces empecé a creer que efectivamente no moriría. A los que van a morir no les limpian la sangre. A los que van a morir no les remedian ya nada.*

Ya no puedo mover a mamá. Sus gestos de dolor cuando lo intento me parecen inhumanos. Un líquido oscuro sale de su boca. No puede dormir.

Seco ese líquido con un algodón, pero el líquido no deja de salir. Humedezco sus labios, ya no puede beber agua. No puedo remediar nada. Sólo la veo. Sólo la veo. Sólo la veo.

No puedo remediar ni mis faltas, ni la distancia entre ambas, ni las diferencias; no puedo ni saldar las deudas de amor. Estar aquí esta noche no es suficiente para el amor que le negué toda la vida y que tal vez aún le niego. ¿Por qué yo sí puedo verla morir? ¿Por qué no soy como Rafa, un corazón blando? ¿Por qué no soy como papá, un corazón dolido?

Estoy entera, frente a ella, recordando su historia que siempre me contaba, recordando mi vida. Cobrando yo también mis propias deudas. Pasando a limpio nuestras deudas. Como un contador frío, calculando con mano precisa bajo la turbia luz de la lámpara.

No rezo. No lloro. Casi ni hablo. Sólo veo. El pasado lijado como lo queremos recordar. El presente, barnizado con una piedad enfermiza. Veo el dolor brutal, inhumano, subiendo como humo de un incienso hediondo y asfixiante, ofrecido a humanos que esta noche se entregan a la inconciencia y al placer, humanos que no desean redención alguna y que tal vez ni la necesitan.


(Mamá, ¿qué haces? ¿Qué hago yo? Iré a buscar morfina.)


Qué terrible sensación tengo mientras recorro el pasillo hacia la alacena, donde están los medicamentos. Enfrente de mí se obstina la mirada de mi madre, a quien imagino con sus ojos crispados. Sé que se siente traicionada por mí. Me hizo jurarlo. Respetaría su voluntad de no ser drogada, respetaría su voluntad de dejarla sufrir para la redención de quienes sufren solos. Nuevamente la traicionaré. Traicionaré una fe que hoy me parece inútil. Esta noche no entiendo por qué ha tenido que sufrir tanto y tan estúpidamente en su vida. Su supremo acto de piedad, que en otras almas ha sido premiado con canonizaciones, esta noche me parece una patraña absurda y bestial. Esta noche no entiendo ni siquiera qué significa la redención de las almas.

*Pasamos todo el día sentadas en las orilla de la cama, en silencio, esperando a que papá o mamá aparecieran en el monte.*

*Nuestra casa seguía azotándose como una sábana al viento.*

*No, no regresarían. Papá seguramente estaba muerto. Mamá ya era libre.*

*De repente, Teresa se levantó y se fue por el monte. Salí corriendo detrás de ella. En ese momento era lo único que sentía tener realmente.*

*Teresa, le grité, y empecé a sentir nuevamente la sangre bajando por mis piernas. Concha, los trapos se cambian. Leonor te tiene otros limpios. Tú lava esos que traes. Y lávate las piernas.*

*Entonces supe que regresaría con toda seguridad. Cuando alguien huye, abandona; no vuelve la mirada ni para atrapar recuerdos.*

*En cuanto oscureció, nos dormimos para olvidar el hambre y la soledad. Al siguiente día, Teresa nos despertó. Vamos. Miré hacia la puerta, tal vez estaban mis padres. No estaban. Había dos maletas hechas. Un muchacho nos esperaba afuera, en un carro.*

*Todas subieron. Yo me recargué en el vano de la puerta, como lo hacía papá. Qué días tan diferentes. Cuando mamá no estaba, papá la esperaba exactamente allí, donde estaba yo. Cuando papá no estaba, desde aquí mi madre añoraba ese camino por el monte, con el viento estrechando aún más su falda.*

*Esa cortina floreada, agitada por el viento, me recordaba que mi casa estaba vacía, que mi casa no tenía puertas. Mi casa sólo tenía ese trapo floreado que parecía quererme espantar como se espantan las moscas. No. Esa tela floreada se deshacía en lianas. En lianas que me alejaban de casa.*

## II

Llegamos a una casa desconocida, en una ciudad desconocida. Adentro encontré a la abuela Remedios con su
bastón señalando cada salón, como si fuera una varita
mágica que convirtiera nuestra pocilga en una casa de
hadas.

No era tan grande como la casa de la abuela
Remedios, pero sí un lujo en comparación con el hogar
de mi niñez. Tenía una cerca, un porche techado, unas
ventanas amplias. La casa tenía piso y brillaba. Cada
espacio era independiente: la sala, la cocina, el comedor
y tres habitaciones, cada una con una ventana. El baño
no era una letrina que estuviera afuera; estaba adentro
de la misma casa, con regadera y un sanitario con
palanca de descarga. Lo que sí teníamos atrás era un
patio pequeño, con lavadero techado.

La abuela extendió su mano y dejó una llave, larga y
dorada en la palma de la mano de Teresa. Al recibirla, mi
hermana bajó la cabeza, como si fuera algo sagrado.

*La abuela Remedios nos besó a cada una en la frente, nos dio la bendición y se alejó en el carro con tío Cayetano.*

*Una nueva vida para cinco hermanas, ya todas señoritas, viviendo en otra ciudad, en una casa bonita. No sabía nada de mis padres. Pero todas fingíamos saberlo. ¿O de qué otra manera te explicas que no nos preguntáramos por ellos? No sabía ni el nombre de la ciudad donde estábamos, todo sabía a nuevo. Todo sabía a no tener pasado.*

Nos mudamos del valle a la playa. La única explicación provino de mi madre: A tu papá le va mejor allá, y le acaban de vender un rancho grande con pozo y muy barato; ya no estaremos tanto tiempo separados. Y sí se veía prometedor ese futuro. Papá tenía un coche nuevo donde cabíamos todos adentro.

Así viajamos. Con nuestros padres jóvenes y guapos en el asiento delantero de un coche bonito, llenos de entusiasmo y expectativas. Atrás la abuela Delia, Rafa, Marijose y yo haciendo planes para el verano y olfateando ansiosos el momento en que el olor a monte se convirtiera en aroma a sal marina.

Desde que entré a casa, supe que mi vida cambiaría. Una casa antigua, enfrente del mar. El segundo piso tenía un enorme salón con ventanales generosos, por donde entraba el fresco aliento de las olas y esa la luz lechosa que tienen las playas. Al enorme salón confluían las dos habitaciones que serían de nosotros, los pequeños. En la habitación de abajo se quedarían nuestros padres. La abuela dormiría en el salón de arriba.

Me asomé y vi a niños y niñas de nuestra edad, corriendo en un coro de gritos y risas por la arena.

No era necesario soñar con la libertad. La libertad estaba allí.

*En cuanto estuvimos instaladas en la casa (que dadas las facilidades de la abuela Remedios, fue de inmediato), Teresa, Leonor y Trini se pusieron de acuerdo para salir a buscar trabajo. Ni tú Rita, ni tú Concha pueden aún trabajar. Todavía están chicas, ustedes se encargarán de la casa. La verdad es que Trini era más joven que Rita, pero tu pobre tía Rita no lo notó, tomó con gusto la decisión de otros, como siempre. Pero yo no. Salieron tus tías y yo salí casi detrás de ellas. Tu tía Rita no se opuso, se rió encogiéndose de hombros, celebrando mi osadía.*

*Cuando regresamos, sólo Trini y yo habíamos encontrado trabajo. Claro, las más bonitas, se quejó Leonor. Yo trabajaría como secretaria en un taller mecánico y Trini en una tienda departamental.*

*Teresa se puso a llorar de preocupación, porque razonablemente temía que no fuera suficiente.*

*En la noche llegó el mismo muchacho que nos había llevado en el coche a esa nueva ciudad. Yo ya sabía que era José, el novio de Tere. No te preocupes, Teresa, esta misma noche quiero pedirte que te cases conmigo. Yo estaré al tanto de ti y de tus hermanas.*

*Teresa aceptó el matrimonio, pero le pidió tiempo mientras yo crecía un poco más. José me miró e hizo paternales recomendaciones para mi trabajo en el taller: Nunca permitas que te falten al respeto, dile luego luego a tu patrón; conozco a don Casildo y es un buen hombre.*

*Era tanto lo que había soñado con ser una muchacha guapa, elegante, respetada, útil, con su propio dinero, que el ambiente de trabajo no fue problema para mí. Al contrario, pronto don Casildo tomó una decisión: Eres demasiado finita para estar aquí; yo creo que estarías mejor en la miscelánea.*

*No sé qué sea, si suerte, o si Dios envía ángeles guardianes a través de la gente, o una misma es quien empuja las oportunidades. Nada mejor pudo pasarme que trabajar en la miscelánea. Bueno, miscelánea era un decir. Se trataba más bien de una papelería y librería, que vendía cosméticos, perfumería y regalos.*

*Quise enterrar mi pasado, que siempre amenazaba en mis recuerdos, leyendo libros. Quería ser no sólo una muchacha guapa, trabajadora, útil, sino culta; todo eso me ganó el respeto de los demás.*

(Mamá, ¿quieres que te lea algo?... ¿Quieres que te lea? Hazme entender si quieres que te lea.)

Nunca me expliqué por qué mamá siempre se sintió una persona con buena estrella. Y a pesar de todo, le creía. Qué mala suerte haber tenido esos padres, pensaba. Qué mala suerte ser los pobres en una familia adinerada. Qué mala suerte no tener más que los estudios básicos. Qué mala suerte no haber tenido mejores oportunidades para cantar, como lo añoró.

Pero qué suerte ser tan simpática, tan guapa, tan buena para cantar. Qué suerte tener esa elegancia innata. Qué suerte nacer con inteligencia. Qué suerte haber trabajado en un lugar donde vendían libros. Qué suerte que llegó a tenerlo casi todo como adulta, cuando en su niñez había padecido tantas penurias.

Yo no cifraba mi vida en cuestión de suerte. Simplemente lo que vivía no me parecía suficiente. Tenía esperanza de que viviendo en la playa se disiparían de pronto esas ineficiencias. Simulaba que la planta alta era mi casa; imaginaba que cruzando la calle que me separaba del mar ya estaba kilómetros lejos de casa, sin que mis padres me esperaran.

Efectivamente habíamos superado los primeros años de estrechez con mis padres y vivíamos sin apuros. Tenía unos padres guapos y unidos. Sabía qué es tener un hermano y qué es tener una hermana. Nuestra vida parecía perfecta. Nunca nos pasaría nada, porque cada vez que salíamos de viaje decíamos juntos: En nombre sea de Dios y de María Santísima, que Dios nos lleve y Dios nos traiga. Esa oración era un escudo de acero. Nunca nos pasaría nada malo. Nunca.

*Estaba a punto de cumplir 15 años. Teresa se había convertido en la costurera del barrio y en sus ratos libres me hizo un vestido muy elegante. Aunque no tendría fiesta, entre ella y su novio me regalarían una sesión de* fotos en estudio. Son las que ahora tengo colgadas en la estancia.

Teresa también nos anunció que al cumplir mis 15 años, ella ya se sentía tranquila de casarse e irse de casa, aunque viviría cerca de nosotras. Las cosas en casa habían cambiado un poco. Leonor estaba estrenando trabajo y novio.

Don Casildo me regaló una cajita con cosméticos y perfumes de los que vendía en la miscelánea. Al principio me alarmé, porque papá le tiraba a mamá los regalos de los hombres. Y él nunca hizo uno. Los regalos de hombres no se aceptaban. No, don Casildo, no se moleste.

Al salir del trabajo, la misma esposa de don Casildo me llevó el regalo envuelto. Y así sí sentí confianza para recibirlo. De regreso a casa, me preguntaba si Teresa me daría permiso de pintarme para las fotos. Me imaginaba arreglada, con mi vestido de quince, maquillada, con un peinado alto, con unas discretas joyas.

Cuando llegué a casa, encontré a mamá sentada en la sala.

Sentí una profunda decepción. Nunca pensé que había muerto, tampoco deseé que volviera. En el fondo sabía que mi vida empezaba a ser justa ahora, ¿por qué tenía que venir a desequilibrar la balanza?

Tus tías Teresa, Leonor y Trinita tenían la misma expresión que yo. Rita trajo un vaso de agua y orgullosa de servirle se lo entregó a mamá y se sentó junto a ella, en un gesto igual a cuando nos echábamos a sus piernas para darle la bienvenida. Y a pesar de sentir todo esto, ¿sabes lo que hice? Me eché en su regazo para besarle las manos.

*Esta vez no me apuró con su «mh». Esta vez sentí su mano sobre mi cabeza y luego una caricia. Nunca me había acariciado. Nunca. Solté el llanto. Me sentía una cucaracha. Una cucaracha por darme cuenta que a mis 15 años era la primera vez que sentía una caricia de mi madre; pero también cucaracha por haber sido capaz de olvidarla y disfrutar su ausencia.*

*Venía a pedirnos que atestiguáramos para poder divorciarse de papá. En esa época la palabra divorcio casi ni se usaba. Yo no la conocía. ¿Papá está vivo? Sí, estaba vivo y estaba en nuestra ciudad, citado por el juez. ¿Lo puedo invitar a mis 15 años? ¿Puedo tomarme una foto con usted y mi padre? Ay, Concha, tú siempre en tu mundo.*

*Teresa y Leonor accedieron a atestiguar, además ellas sí eran mayores de edad. Mamá quiso arreglarme, pero no acepté, tuve miedo. Pobre de la que se haga puta como su madre, recordé la voz de papá y le pedí a Trinita que me peinara. Quería verme fina y bonita, no puta. José llegó por mí para llevarme al estudio.*

*Por eso en la foto salgo con esa cara de la que siempre se burlan. Sí, estaba en otro mundo. Ya me habían explicado lo que era el divorcio. Papá estaba vivo. Mamá había vuelto. Mamá me había acariciado.*

Mientras mamá y la abuela preparaban nuestra nueva casa, papá nos llevó a la playa a Rafa, a Marijose y a mí. Nosotros los hombres nos meteremos más, pero ustedes son niñas y se quedarán aquí en la orilla, sentenció papá; luego advirtió separando las sílabas en tono imperativo: No se muevan de aquí. Papá me comisionó: Tú cuidarás de tu hermana, no la abandones. Quedamos las dos ridículamente sentadas con el agua a medio pecho.

Lamentaba tener que cuidar a mi hermana por el hecho de ser mujer; y envidiaba al ver cómo se adentraban en el mar, sin poder comprender qué tenía que ver que fueran hombres para que pudieran hacerlo.

Entre cada uno de nosotros había cierta diferencia de edad. Rafa tenía 14 años, yo 8 y Marijose 4. Por ser Marijose y yo «las niñas», estábamos condenadas a estar siempre juntas. Y yo a adecuarme al crecimiento de ella.

Fue en ese momento que comprendí que había cosas que me estaban vedadas, no por la edad, como había pensado hasta ese momento, sino por ser niña. Por ser algo que nunca podría cambiar.

¿Algún día podría hablar con Marijose de estas cosas, que tampoco podía hablar con Rafa o con mis padres? No me importaba no poder hacerlo con ellos, pero me dolía estar forzada a acompañar siempre a mi hermana, alguien con quien no se podía hablar, alguien que lloraba por todo, alguien que con el pretexto de su edad imponía su voluntad sobre la mía. ¿Cuándo podría quitarme a Marijose de encima?

Me volví a ver a Marijose. Ella no estaba a mi lado. Encontré su rostro adentro del agua apacible y cristalina, con los ojos abiertos, echando burbujas por la boca y por la nariz, pero sin moverse.

En lugar de sacarla, empecé a gritar. No recuerdo el momento en que sacaron a Marijose, ni quién lo hizo, si otras personas que estaban en la playa o papá. Le aplastaron el estómago, arrojó agua por la boca y empezó a llorar.

El llanto que algunas veces llegaba a odiar, en ese momento fue signo de vida.

Tal vez fueron segundos. Mis recuerdos de ese momento son prolongados, lentos, estáticos. No me explico cómo pudo caer de una manera tan ridícula, cómo pudo estar a punto de ahogarse en aguas tan tranquilas y bajas. Tampoco me explico por qué mis pensamientos estuvieron a punto de hacer realidad mis deseos. Quería librarme de ella, pero no así.

A partir de ese día nunca más volvieron a confiarme a Marijose. El castigo y la recompensa eran confusos para mí. Me castigaron con aquello que yo deseaba. Y esto en lugar de alegrarme, me entristecía.

Me recordaba que yo no era buena. ¿Qué otros deseos permanecían ocultos lejos de mi vista?

El rostro de Marijose abajo del agua fue una constante en mis pesadillas. Un rostro inexpresivo, sin dolor, sin lucha. Sólo sus ojos enormes y oscuros viéndome desde un lugar tan cerca y a la vez tan lejos de mi alcance.

*¿Sabes algo, Sara? Odio la carcajada de tu abuela. Cuando mamá regresó del juzgado, se carcajeaba así, tal como la conoces ahora. Recuerdo que se tiró en el sillón con una vulgaridad de la que nunca me había percatado y se burló: Nunca se le quitó lo pendejo al viejo pelón.*

El verano parecía una promesa de lo que sería nuestra vida en la nueva ciudad. Papá se iba de madrugada a trabajar en el campo, y mamá estaba tan ocupada en acondicionar la casa de sus sueños, que nos dejaba jugar todo el día afuera.

Liberada de Marijose, pronto hice amistad con los niños de mi calle: Pano, Miguel, Chuy, Chema... Era una niña popular. Como todos los niños, yo tenía una avalancha, un carrito en forma de trineo con ruedas y volante. Mis amigos amarraban mi avalancha a sus bicicletas y me paseaban por toda la calle.

Nuestra calle me resultaba inquietante. Era curva y de ambos lados había casas antiguas con tejados de dos aguas, y detrás de las casas, tanto de una acera como de la otra, había agua. En un caso, la playa; en otro, un estero sombrío.

Al final del caserío, la calle subía en una pendiente pronunciada, hasta un cerro, donde había otro barrio, más exclusivo. A veces Miguel o Pano me llevaban hasta cierto punto de la pendiente, allí desataban la avalancha y me dejaban que me deslizara hacia abajo.

Me preguntaba cómo me sentía más libre, si cuando era un niño el que llevaba el control de la avalancha o cuando era yo quien lo conducía pero sin llevar ninguna atadura.

Nunca podía responder esa pregunta. Mejor cerraba mis ojos y me llenaba del olor de la playa, ese olor que me resultaba igual de inquietante que mi calle. Hay algo putrefacto en su esencia, pero pocas cosas alimentan tanto la nostalgia como su aroma.

*Si se va a quedar tiene que trabajar como todas nosotras, le aclaró Teresa a mamá. Yo notaba que algo había*

*cambiado en la relación entre ellas. Teresa le hablaba*
*con autoridad, como si ella fuera la jefa de nuestra casa,*
*no mamá. Yo pensaba que tal vez se debía a que Teresa*
*era la mayor y estaba a punto de casarse.*

*Teresa apresuró más su boda. Un día antes de*
*casarse, llegó llorando y se encerró en su habitación.*
*No recordaba haber visto llorando a Teresa. Pero yo*
*era la pequeña, a mí no me estaba permitido averiguar*
*razones. Si acaso podía aspirar a que Trini me compar-*
*tiera algo de la información que ella tenía, como esa*
*vez lo hizo: Parece ser que Teresa le pidió a papá que la*
*entregara en la boda y él se negó. Tu tía siempre ha sido*
*así de escueta, pero no necesitaba saber más para imagi-*
*narme. Seguramente Teresa había salido a empujones,*
*después de insultos que mejor ni repetir.*

*A tu tía la entregó tu abuela. Estábamos lejos de la*
*ciudad donde este acto significaría una vergüenza. Nadie*
*nos conocía en la nueva ciudad. Y José era huérfano de*
*madre y padre. No ofendimos a nadie. Así que la boda*
*fue motivo de orgullo y felicidad para tu abuela y todas*
*nosotras.*

Al empezar el año escolar, nos inscribieron en un colegio de
religiosas. Era un plantel enorme, ocupaba una manzana
entera. Tenía internado, un amplio gimnasio, teatro,
capilla, jardines, varios patios techados y al aire libre. Se
impartía educación desde preescolar hasta preparatoria.

Yo entré a cuarto año y Marijose a preescolar. Rafa
cursaba su último año de secundaria y, como siempre, fue
inscrito en una escuela pública.

Los primeros días me dediqué a explorar cada rincón del colegio. Tenía una sensación muy extraña, como si el colegio entero fuera un espacio sagrado. Silencioso, luminoso; los pisos tan abrillantados que creía caminar sobre espejos. El aroma a limpio impregnaba todo el ambiente, las monjas cruzaban en mi camino con su pulcritud como si fueran espectros de otra dimensión.

La capilla era pequeña y aparentaba una forma triangular por la inclinación de los pilares. La luz traspasaba los vitrales e inundaba las bancas de un tono ámbar brillante. La Virgen tenía un nicho central detrás del altar. Había una pequeña cruz arriba de ella, y a sus pies, una ventana pequeña con cortinas y postigos dorados, que dejaban ver una cerradura.

Probablemente era la primera vez que veía con detenimiento un altar. Me senté a observar la ventana cerrada debajo de María. Esa cerradura subyugaba mi curiosidad. Si no fuera visible, nunca me hubiera preguntado lo que guardaba adentro. Así funcionaba mi cerebro. Siempre hurgando en lo que me era oculto.

Podía pasar toda la hora de recreo en la capilla. María me parecía una compañía silenciosa, una madre que no cuestionaba las preguntas que siempre daban tumbos en mi mente inquieta. Su rostro, siempre inclinado sobre mí, apacible, amoroso, con una justa distancia, más bien parecía sosegar mis pensamientos. María no tenía sangre. A María nadie la lastimábamos, como a Jesús.

Me asusté cuando mi maestra, la hermana Luz, me sorprendió en la capilla. Pensé que recibiría un castigo. Al contrario, desde ese día despertó una simpatía hacia mí que después se convirtió en preferencia. Me incomodaba cada vez que advertía que esta preferencia sería evidente ante mis compañeras de clase, pues no quería vivir la misma experiencia que en mi anterior escuela.

Para deshacerme de las atenciones de la hermana Luz, dejé de ir a la capilla durante el recreo y opté por esconderme debajo de las escaleras. Un debate interno se prolongaba los treinta minutos de descanso. Si correspondiera a la amistad de la hermana Luz, tendría muchos beneficios: calificaciones incuestionables, mis compañeras tal vez me reconocerían como la niña lista del salón y yo dejaría de ser esa niña nueva, anónima, cuyo nombre aún ni aprendían; podría caminar con la espalda recta, y mis coletas bailarían con altivez de un lado a otro mientras me dirigía triunfalmente desde mi pupitre a la mesa de la maestra; sonreiría y todas me verían con respeto y envidia.

Me daba miedo exponerme ante el resto, porque ser la preferida generaba odios de los demás y mis miedos a fallar, a no ser quien creían que era, a no corresponder. Prefería alejarme, ocultarme de la hermana Luz, de todas.

Gracias a mi obstinada discusión interna, encontré debajo de las escaleras unas hileras de termitas subiendo del suelo por la pared. Mi reflexión cedió ante ese fenómeno que acababa de encontrar. Cada día llevaba mi regla para medir la longitud de esos túneles terrosos y me preguntaba si la tierra era un ser vivo que crece y carcome la materia, si era así como se formaban los cerros, si algún día crecería una montaña debajo de las escaleras; sería entonces un milagro que atestiguaba yo y sólo yo.

*Leonor se comprometió con su novio y Trini tenía un pretendiente formal, aunque seguía pensando en Roberto, un muchacho con el que había salido pero se había ido de la ciudad. Tu tía Rita era la más visitada por los muchachos. Era tan simpática y su ingenuidad la hacía tan abierta, que resultaba encantadora.*

*Hasta que un día Rita nos avisó: Por aquí pasa un muchacho tan parecido a Roberto. Todas nos alborotamos por salir a verlo pasar a la hora que acostumbraba, porque Roberto era recordado por ser muy guapo. Pero Trini, a quien de verdad le interesaba, no quiso salir.*

*Yo sí salí al porche, a las seis de la tarde. Con un codazo Rita me avisó de su presencia. Era parecido a Roberto, pero mucho más guapo. Adiooós, saludó muy coqueto a tu tía Rita. Pero la que respondí fui yo. Él se volvió a verme, pero sólo por un segundo. Era obvio que Rita le llamaba más la atención. Será que yo todavía me veía muy chica. Así pasamos varios días. Yo esperando su silueta alta, delgada, lenta, su cabello rizado, sus ojos negros brillantes. Yo ya me sentía enamorada. Pero sus miradas siempre eran para Rita.*

*Hablé con tu tía, que no perdía oportunidad para coquetear y me dijo que no le interesaba el «Roberto», como le pusimos al caballero de las seis. Pues entonces deja de salir a esa hora y déjame a mí sola. Pues entonces píntate y sé más coqueta, me recomendó Rita.*

*Así lo hice. Cuando «Roberto» pasó, lo saludé con su misma picardía: Adioós. Pero él no respondió. A mí me gustaba mucho, así que no me di por vencida fácilmente. Algún día se detendría a platicar conmigo en la cerca.*

*Y después de algunos días de perseverancia, lo hizo.*
*El caballero de las seis ya tenía nombre: Alberto.*

La curiosidad y las constantes jornadas debajo de las escaleras me llevaron a descubrir que unos pequeños insectos, casi transparentes, habitaban en los túneles de tierra que crecían por las paredes. No son montañas, concluí. Por eso ante la pregunta complaciente de mi padre antes de irse de viaje a Estados Unidos, respondí: quiero un microscopio. Tal vez siempre pedí cosas tan absurdas que no las objetaban, al contrario, las aceptaban con sorpresa y orgullo.

Observaba todo tipo de insectos, criaturas y hongos en mi microscopio. Pensaba que el mundo que habitábamos seguramente era un mundo pequeño dentro de otro mundo mayor. Que alguien nos observaba como yo a las hormigas. Que nuestros edificios eran inspeccionados como yo lo hacía con las hermosas ramificaciones cristalinas que el moho revelaba en el microscopio.

Cuando no estaba debajo de las escaleras, o en los jardines buscando algo más que analizar en mi laboratorio, me subía al tercer piso del colegio y observaba a la gente. Las ventanas eran el microscopio desde el cual observaba los gestos, las facciones, la vida de las personas. ¿Sabrán que las veo? ¿Sabré yo cuando me observen? ¿Quién lo hace y por qué?

Por eso cuando las niñas del salón hablaban de Laura, la niña en silla de ruedas, y la acusaban de loca, tonta y tan mala que si pasabas por su lado podía pegarte o tirarte el cabello, yo dudaba. Mi observación me indicaba que si sus notas eran buenas, ella era una niña inteligente. Y que si pasaba a su lado y no me hacía nada era porque yo no la amenazaba.

Laura me obsesionaba, ¿por qué es una niña diferente? La duda se disipó en los bebederos del patio. Allí estaba su madre, quien tomaba clases con nosotras para apoyar a su hija que tenía el cuerpo rígido y hablaba abriéndose paso dificultosamente entre sus espasmos.

¿No quieres preguntarme qué tiene mi hija?, me preguntó de pronto, quizá para romper mi vista fija sobre ella. Acepté la explicación de su madre. Parálisis cerebral desde que nació, Laura ya tiene 12 años. Me explicó lo que significaba parálisis cerebral. ¿Quieres pasar con nosotras el recreo? Sí. Para mí era una forma de agotar mi curiosidad por esa niña diferente, y otra manera de mantenerme al margen sin seguir oculta debajo de la escalera. Nadie quería estar con Laura. Nadie se acercaría a nosotras.

*Fui una muchacha muy seria, pero no tanto como Leonor y Trini, y también fui muy coqueta, pero no tanto como Rita. Imagínate cómo estaba una casa donde vivían cuatro muchachas guapas: rodeada de serenatas. A veces no sólo se juntaban las serenatas para Rita, para Trini, para Leonor y para mí, sino que a veces había dos serenatas para mí sola. ¿Sabes lo que empezaron a hacer nuestros pretendientes? Ponerse de acuerdo en la hora en que cada trío tocaría. Claro que cuando había varias serenatas para una sola, estos acuerdos eran más difíciles. Algunas veces se pelearon afuera, sin escándalos ni golpes, pero sí a palabras.*

Cuando iban a visitarnos era peor. Porque en una serenata, pues uno enciende y apaga la luz, pero con una visita uno debe atender, platicar. No te miento, pero a veces platicaba en la cerca con un pretendiente, lo despedía, volvía a entrar por la puerta trasera de casa y recibía a otro pretendiente que ya estaba esperando en la sala, como si yo recién saliera de mi habitación. El que se dejaba pasar a casa era el que más le interesaba a una.

Eran tiempos muy bonitos, románticos, de galantería. Ahora es muy diferente. Eso ya no se usa. Antes si un muchacho se te declaraba, uno no podía decir que sí luego luego. Por más que te estuvieras muriendo por él, pedías un tiempo para pensarlo. Era una cuestión de decencia.

¿En qué estábamos? Ah, en que así pasó con tu padre. Todas las tardes, cuando salía de su trabajo, se detenía en la cerca de la casa para platicar. Hablaba con una voz grave y baja. Tus tías pronto le pusieron «el abejorro». A mí me encantaba su voz; sus ojos grandes, de negro brillante, su mirada muy intensa y coqueta. Parecía más grande de lo que era.

Alberto tenía apenas un año más que yo, provenía de una ranchería cercana, vivía en la ciudad con su abuela materna y trabajaba como mecánico.

No sabes cómo temblaba cuando estaba con él. Cuando me pidió que fuera su novia, sentía que estaba soñando. Pero la decencia primero: le dije que lo pensaría. A partir de ese momento conté cada día de la semana que me puse de plazo conveniente, para decirle que sí, que sí, que sí.

¿Sabes cuál es la duda más grande con la que me quedaré, mamá? Si es cierto eso que contabas de los pretendientes y las serenatas.

Decir que sí a Cristo, era la frase que más pronunciaban en la doctrina para prepararnos a la Eucaristía. No era la niña más brillante de la doctrina. Es más, era una niña mediocre. Nunca me aprendí el Acto de Contrición, ni el Credo, ni el Gloria, ni el Yo pecador. Pero mi fervor era intenso y profundo.

La mente científica que empezaba a desarrollar me cuestionaba ¿de dónde venía mi fervor? Yo sólo sabía que cuando me arrodillaba en el reclinatorio de la capilla, cuando juntaba mis manos en mi pecho muy cerca del corazón, cuando cerraba mis ojos y entregaba mi mente a Dios, sentía que caía lenta por un túnel vibrante, cálido, donde mi soledad era acompañada amorosamente.

Y también sabía que las demás niñas no sentían eso, porque las observaba distraídas, aburridas o bromeando unas con otras. Yo podía concentrarme fijamente en Dios, suspendiendo mi vida ante esa sensación flotante, libre, íntima.

No me gustaba rezar el rosario, tampoco leer la Biblia o ir a la doctrina. Me gustaba estar así, en la capilla, suspendida en esa luz ocre, en ese silencio lleno de resonancias.

En ese momento no me sentía mala, no tenía miedos, ni dudas, no renegaba de nada, la mente no me daba giros. Me sentía privilegiada porque me era tan fácil encontrarme con Dios.

Ahora puedo dar muchas explicaciones a esto. Lo he hablado con mis colegas. Esas páginas que se llenan en las hagiografías, justificando una piedad extrema, quizá sólo se reduzcan a una neurosis extravagante.

Pero yo entonces no sabía nada de neurosis. Más que razones, sentía un instinto primitivo por lo sagrado. Así fue instintiva la emoción cuando se abrió la puerta dorada que resguardaba María, cuando salió un copón dorado con una joya en forma de sol encima, cuando se elevó sobre nuestras cabezas al tiempo que caíamos en rodillas. El misterio estaba resuelto y la cerradura abierta. Hice la Primera Comunión y obtuve la licencia oficial para arrullarme en los brazos de Jesús.

*Tu padre era el hombre más guapo que podría haber. Varonil. Con una extraña mezcla de la rudeza que da el campo y cierto aire filosófico debido al tiempo que pasaba solo y en silencio mientras trabajaba la tierra. Todavía es así, ¿no te parece?*

*Yo era una muchacha muy urbana ya. Tanto más porque mi vida hasta entonces no había sido muy urbana, y ahora disfrutaba las delicias de la vida en la ciudad. Me gustaba el rock and roll, me gustaba leer, me gustaba la música clásica. Y tu padre escuchaba otro tipo de música, bailaba otro tipo de música, no había leído más libros que los de la escuela y su conversación pocas veces iba más allá de su papel de novio romántico. Pero su voz podía decir cualquier cosa, era viril y profunda.*

*Beto era un hombre fuerte, independiente. Pero a veces llegaba triste y me contaba de su vida. Estaba muy desprotegido. Era el mayor de 12 hermanos y sus padres exigían demasiado de él. Pasó su niñez yendo y viniendo de la casa de sus padres a la de su abuela. Un día lo corría su padre, otro día la abuela. Yo comprendía su tristeza. Todos necesitamos de nuestros padres. Por eso nosotros siempre estamos con ustedes.*

*Eso sí, nuestros orígenes eran muy distintos. Yo había crecido en la miseria; tu padre, no. Su familia era fundadora del ejido en que vivía y eran unos agricultores acaudalados.*

*Pero por encima de esa diferencia, a tu padre y a mí nos unía de una manera muy fuerte esa desprotección paternal, ese desabrigo de una familia. Y la admiración mutua. Yo lo admiraba por fuerte, por trabajador, por serio. Y él admiraba mi inteligencia y mi alegría. Eso me gustaba, que me viera y dijera lo que en mí veía.*

A Laura le gustaba que le leyera durante la hora de recreo. La lectura dejó de ser un favor y se convirtió en una pasión. Me abrió un mundo aislado que al mismo tiempo podía compartir. Al club de lectura se nos unió Alicia, una niña bien acogida por el grupo dominante del salón, pero que tendía puentes hacia nosotras.

Los libros me daban la misma sensación que cuando observaba a la gente desde el tercer piso, sólo que con un paisaje renovado, en países lejanos y desconocidos y con gente que nunca hubiera conocido en mi ciudad.

Marijose se convirtió en asidua a nuestro club de lectura, no por interés sino porque quería estar conmigo. Sabía dónde encontrarme. Cuando la veía llegar al bajo de las escaleras, tan tímida, con su enorme mirada, sentía que una ventosa se me pegaba al pecho durante todo el receso. Si le sugería que fuera a jugar con sus amigas empezaba a llorar, ya lo había probado. Entonces la acogía con resignación, creía que era mi obligación como hermana; escuchaba la voz de mi madre que me decía: Ante todo y ante todos está la familia; tu hermana está en primer lugar y en segundo, tus amigas.

Era una responsabilidad que llevaba como una carga, pero conforme el tiempo pasaba la objetaba menos. Cuando veía a mi hermana con sus enormes ojos tan dudosos y sentía cómo me succionaba a su voluntad, la recordaba bajo el agua con su mirada desorbitada y me aterrorizaba pensar en ella muerta. Pensaba que no podía cambiar a mi hermana. Yo la había elegido; y ahora la alternativa era entre mi hermana así, posesiva y caprichosa, o una hermana sin vida bajo el agua.

Cuando me agotaba de Laura o Marijose, me refugiaba en el tercer piso o en la capilla; ahí encontraba silencio y a alguien que no me esperaba, sino que sólo compartía su presencia.

*Pronto empecé a acompañar a tu padre a los bailes en su pueblo. No era nada agradable. Bailábamos música norteña alrededor de una cancha sin pavimentar, con unas extensiones de focos colgando rudimentariamente.*

*Con lo alérgica que soy, imagínate cómo me sentía con el polvo que se levantaba. A eso agrégale los codazos que recibía alevosamente de otras muchachas de allí, prietas, gordas, horribles. ¿Que está pasando, Beto?, le preguntaba, ¿tienen alguna razón para golpearme? Nadie te está pegando, Conchita, hay mucha gente y chocamos. ¿Siempre con las mismas dos prietas hediondas? Pues serán malas para bailar. Y maleducadas, ¿o por qué me miran así? Por envidia, Conchita, no hay nadie más bonita y más fina que tú en el baile.*

*Yo sabía que no era así. Nunca lo saqué de sus argumentos. Era obvio que eran dos mujeres celosas. Al principio no le daba importancia, nunca pensé que mujeres tan vulgares como esas pudieran competir conmigo. Pero invariablemente era agredida por ellas, aun cuando los bailes fueran en otros pueblos.*

*A punta de codazos y vulgaridad, ellas se encargaron de evidenciar la guerra. Si una de ellas es la novia de Beto en el pueblo y la otra es la ex, aquí no hay competencia, sino engaño, pensé. Y tu padre y yo terminamos después de un año de noviazgo, estando yo muy enamorada, y tu padre... dice que también.*

Me hicieron un pastel de Primera Comunión e invitaron a mis vecinos. Niños y niñas. Al llegar a casa, me quité mi vestido blanco, de pomposo picor, y me puse una blusa que llegaba a medio torso, blanca, con un holán que caía de manera relajada por los hombros. Era la moda.

Allí estaba Pano. Siempre jugábamos juntos. Esa vez me propuso jugar a la mamá y al papá. Como esposo que era podía abrazarme y pasar sus manos por mi talle. Y yo como esposa podía permitirlo; sentía cosquilleo y me creía una muchacha cuando estaba con él. Pano me gustaba. Y yo sabía que también le gustaba a Pano.

Tal vez Rafa lo notó. Oye, ya no abraces a mi hermana. Pero si estamos jugando a la mamá y al papá. Pues ese es el problema, esos jueguitos no son buenos.

Fue curioso. Esa frase fue la voz de la serpiente en el manzano, la voz que expulsó a Adán y Eva del Edén. Me sentí avergonzada de mi blusa a medio torso. Me sentí avergonzada de jugar a la mamá y al papá, abrazada de un niño el día de mi Primera Comunión. Pano también estaba enrojecido. Rafa corrió a la casa y pronto estaba papá allí, por mí. Métase a la casa, ordenó con ese tono inequívoco, es hora de partir el pastel.

Caminé hacia casa, como quien se dirige al patíbulo. Lejanos y ajenos me parecían los gritos de algarabía de mis demás amigos Chuy, Miguel, Chema, que esperaban con ansias el pastel. Mientras partía la tarta y mis amigos posaban junto a mí para las fotografías del recuerdo, con tristeza veía a Pano asomarse tímidamente por el resquicio de la puerta.

Esa noche tuve insomnio. Me avergonzaba el juego con Pano, pero a la vez me inquietaba recordar sus manos pasando por mi talle. ¿A eso se refería el sacerdote cuando pedía que nos confesáramos de haber tenido malos pensamientos, por si acaso?

Al siguiente día, durante el desayuno, sólo encontré una serie de instrucciones paternas: nunca más usar esa blusa, nunca más salir con ropa corta a la calle, nunca más jugar sola con niños sin que esté Rafa. Un ruido se escuchó por debajo de la puerta. Me apresuré a revisar, era un papel y antes de que pudiera terminar de leer, papá interceptó la pregunta de Pano: Sara ¿quieres ser mi novia?

Se volvió a mí y añadió: Prohibido salir a jugar a la calle. Prohibido hablar con los niños.

Nunca volví a hablar con Pano. No le di ninguna explicación ni a él, ni a mis demás amigos. Quizá llegaron a odiarme y nunca me perdonaron.

Esta noche en que me siento sola al extremo, necesito saber que de alguna manera me han perdonado todas esas personas a quienes he abandonado, incluyendo a mamá y a Miguel.

(Mamá, no sé cómo pedirte esto, ni exactamente a qué me refiero pero... ¿Podrías perdonarme? ¿Podrías?)

*Puedes medir el dolor que provoca una ruptura en proporción a los cambios que empiezas a hacer en tu vida. Al terminar con tu padre, empecé a tomar clases de canto con una maestra de ópera. Pronto destaqué. Vino una maestra vasca que dirigía el coro de la Universidad Estatal a hacer una audición, participé y gané. Estaba becada para irme a la capital del estado. A mí me parecía algo viable. De esa ciudad sólo me separaban menos de 300 kilómetros. Mi madre no decía nada, sólo atendía con orgullo a los periodistas que iban a entrevistarme. Así conocí a Esteban, un locutor de radio.*

*Poco tiempo después fue mi cumpleaños y Esteban llegó con un ramo de flores. Charlando en la sala con tu abuela y tus tías, él preguntó por el día de mi partida. Mi madre se levantó hacia la cocina y dándome la espalda dictó su sentencia: Concha no va a ninguna parte.*

*Quedamos en silencio. Ella regresó con un café para Esteban. Y por el resto del tiempo sólo me pareció* escuchar el paso del café por la garganta de Esteban y mi respiración irregular. Cuando lo despedí en la puerta preguntó: Conchita, ¿por qué no dijiste nada? ¿Por qué no te quejaste? Es mi madre, respondí.

A partir de ese momento, Esteban tomó como tarea personal lograr que mi madre me autorizara los estudios. Incluso llevó a mi maestra de canto a casa para convencer a mamá. Fue imposible. Un no rotundo.

Esa independencia que tuvimos mientras mamá no estuvo en casa, había desaparecido pronto. Para mí era otra mujer, una mujer desconocida. Se ocupaba demasiado de nosotras, de la hora en que llegábamos del trabajo, de los pretendientes que teníamos, de los vestidos que nos poníamos.

Y no desaparecía, como en nuestra niñez. Trabajaba cuidando las sobrinas de un señor muy adinerado. A veces dormía fuera, por cuestiones de trabajo, pero siempre nos avisaba y cumplía con su compromiso de regresar.

No te podría decir si me daba gusto o no. Yo creía que en realidad lo que me gustaba era pensar que tenía una familia normal, con mamá y hermanas. Lo más normal posible, porque a papá no lo había visto de nuevo. Era importante para mí contar con mamá, verla allí, como una figura preocupada por sus hijas, hablando de valores a pesar de todo.

Nosotros somos de otra época, Sara. Éramos incapaces de juzgar a nuestros padres.

Además, más grande que la negativa de mamá a mis estudios, fue mi «no» interno, un «no puede ser». No me creía capaz de poder lograr algo de ese nivel.

Pensaba en ser famosa cuando cantaba en el monte, como una ilusión, sabiendo perfectamente que el sol no era reflector.

Esteban fue tan insistente con esa causa que iba todos los días a casa. Hizo amistad con mamá, conmigo y acabamos siendo novios.

Él era muy diferente a tu padre. Para mí era un intelectual; un muchacho urbano, fino, educado, culto; bailaba muy bien el rock and roll.

Pero yo todavía pensaba en Beto. Y no te lo digo porque sea tu padre. Por cierto, en cuanto se enteró de mi relación con Esteban, empezó a buscarme de nuevo. Ambos me llevaban serenatas.

Los veía de pie, a Esteban tan limpio y acicalado, con ese rostro tan sin vida, sin historia, sin luz; y a tu padre, borracho, con ese brillo negro en su mirada, con su tormento revuelto en el cabello, con un rostro que hablaba de una vida pasada y de una vida por venir.

Beto me inquietaba, Beto me dolía. Era una herida que no podía definir. ¿Lo amaba aún? ¿O era mi amor propio el que sangraba? Antes de que pudiera responderme, Esteban y yo buscamos casa, la amueblamos y empezamos los preparativos de la boda.

A veces, cuando me ves pensativa o me encuentras llorando, es por esto. Me pregunto qué hubiera pasado si Esteban no hubiera aparecido. Me pregunto cómo sería ahora mi vida si nada hubiera salido mal con él. Qué habría pasado si hubiera luchado por la beca en la Universidad. Ojalá nunca decidas por miedo, Sara. Ojalá nunca abandones un camino sin haberlo cruzado.

No luché por cambiar las nuevas disposiciones impuestas por mi padre. Tal vez pensaba merecerlo. Encerrada en casa, observaba desde los ventanales de la planta alta a los niños jugar afuera. Veía a Maru desplazarme y obtener el liderazgo del grupo de vecinos. Ahora era la niña popular. Y Pano estaba muy cerca de ella.

Al poco tiempo esa estampa estaba dolorosamente desgastada. Desaparecieron los amigos y Marijose se hizo más visible. Pasábamos mucho tiempo juntas jugando a las muñecas y cuando Rafa lo permitía, con sus cochecitos.

Mi madre se asomaba a vernos y decía entre mimos: Qué lindas se ven jugando juntas las dos hermanitas, son las únicas. Cuando reñíamos, se lamentaba con una frase similar: ¿Pero cómo que están peleando? ¡Si son las únicas!

También apareció la lectura. En cuanto llegaba las revistas *Reader's Digest* o *National Geographic*, rompía el sobre y leía de inicio a fin con avaricia. Por lo mismo empecé a leer indiscriminadamente. Los libros de las enciclopedias que mamá compraba y hasta las fotonovelas y revistas de historietas que leía mi abuela.

Cuando mamá me descubrió una de esas revistas, me dio un fuerte regaño. No envenenes tu mente con esa mugre. Si quieres leer, aprende a leer bien, no basura. Hazme una lista de libros y mañana mismo los compramos.

¿De dónde iba a sacar nombres de libros? Mientras leía clandestinamente una revista de espectáculos de mi abuela, me topé con una entrevista al cantante de moda, que decía: También es poeta y un incansable lector de Nietszche, César Vallejo, García Lorca, Octavio Paz, Miguel Hernández y Dostoievsky. Ahora pienso en ese cóctel indigesto, y estoy segura que era una tomadura de pelo. Pero cogí un lápiz y un papel y copié esos nombres. Llegué con mamá y le dije: Ya lo tengo.

Rafa nos llevó a la única librería de la ciudad. Mi madre parecía conocer al dueño de la tienda. Se quedaron conversando y delegaron la lista a un ayudante. Yo me paseé por los estantes y escogí otro libro: *Demian* de Hermann Hesse.

Ni mi madre ni el dueño de la librería se dieron cuenta de mi colección. El ayudante los introdujo en una bolsa de plástico, la engrapó junto con el recibo y mi madre sólo pagó.

Estaba pagando porque se llevaran la basura de mi mente. Tal vez no sabía que estaba pagando por mi tormento.

*Las cosas no andaban bien. Una nube de murmullos, sospechas y miradas empezó a cercarme. Con frecuencia encontraba a Trini llorando. Y al llegar a casa, siempre interrumpía alguna discusión entre mamá y Leonor o entre mamá y Trini.*

*Infinidad de veces le pregunté a tu tía Trini qué era lo que estaba pasando. Cuando estaba a punto de decirme algo, soltaba el llanto, sin poder revelarme nada.*

*Ante este hermetismo, nadie me parecía confiable; ni Esteban, quien también parecía ocultar algo. Aunque no contaba con ello, lo único que me quedaba era la imprudencia de mis compañeras de trabajo.*

*Un día me quedé en la hora de comida acompañando al contador para hacer juntos el inventario de la bodega. Escuché a mis compañeras volver y fui a avisarles que* estábamos ahí. No me sintieron a sus espaldas y continuaron su conversación: Una tía ya me había contado algo de su madre. Pobre Conchita, y ya está en puerta su boda.

En el pasado pude preguntarme una y otra vez qué significaba la hierba en la espalda de mi madre. O por qué mi madre anhelaba más el camino por el monte que quedarse con nosotras. Ya tenía 18 años. Ya no me preguntaba eso, ni lo que sugerían con ese fragmento de conversación.

Salí corriendo a casa. Encontré la misma escena de hacía semanas. Trini llorando, Leonor discutiendo, Rita con su cara impávida y mi madre furiosa.

Esta vez no interrumpieron la discusión. Leonor tenía un papel en la mano que me extendió: Lee, Concha, terminemos con esto de una vez. Mi madre quiso arrebatarle el papel, pero cuando lo vio en mis manos se volvió a Leonor para abofetearla. Mi hermana la vio con odio y casi escupió en su cara: Usted es la misma de siempre.

Esa frase resonaba como un eco mientras leía el papel, una carta de Esteban citándola apasionadamente a una hora en la casa que ya habíamos amueblado para vivir ahí cuando nos casáramos.

Quise enfrentarme a mi madre. Pero me encontré esa altivez que la amurallaba siempre. Trini entre llantos me contó que un compañero de trabajo que llevó el refrigerador a mi futura casa había visto a mamá besándose con Esteban.

Salí para esperar en la esquina a Esteban. Me sentía como cuando niña esperaba a mi madre con el frío

*colándose en mi vestido o con el sol clavando sus agujas*
*en mi piel. Pero ya no había inocencia para esperar*
*respetuosamente. Había furia, oscuridad, una vida*
*que se derrumbaba junto con mi próximo matrimonio,*
*junto con mi familia que pretendía recompuesta. Bajo*
*las farolas más tristes que había visto, Esteban llegó*
*como cada noche, con una flor que cortaba para mí en*
*el camino.*

*Con carta en mano, no pudo negarlo: Pero ella es la*
*que me persigue, Conchita, y yo soy hombre.*

Estaba en sexto año cuando mi madre me contó esta terrible historia. La contó como si toda la vida hubiera esperado el momento para hacerlo; y que de tanto esperar, el relato sale así, de pronto, con imprudencia.

El pretexto fue una charla de mujeres. Estaba por graduarme de primaria, cuando el padre de Laura tuvo que ser intervenido de un problema renal. Su madre debía compartir el tiempo entre el hospital y Laura. Así que aprovechaba el tiempo de clases para atender a su marido. Yo me ocupaba de Laura.

Estábamos a punto de salir a recreo, cuando Laura me avisó: Sara, algo pasa. Tres años de amistad me permitían conocer los matices de sus gestos y de su voz. Me apresuré a guardar sus cuadernos en la mochila, cuando vi sangre debajo de la silla de ruedas. Revisé, y me di cuenta que sangraba entre sus piernas. Alarmada sin saber de qué se trataba, grité: ¡Laura está herida! ¡Sale sangre!

Salíamos de sexto sin conocer un tópico de sexualidad ni de anatomía, a no ser por las compañeras que ante nuestros ojos desarrollaban senos y caderas. Nunca sospechamos que en esas páginas que las monjas habían arrancado del libro de Ciencias Naturales se explicaba lo que le sucedía a Laura y tarde o temprano nos sucedería a todas.

Llegué a casa con un memorando de parte del colegio, en un sobre sellado. Mamá lo leyó y me anunció: Tengo que hablar contigo a solas.

Me explicó cuidadosamente sobre la sexualidad, la menstruación, cómo se conciben los niños, cómo nacen.

Pero ya que sabía de esos asuntos, encontró el momento para por fin poder confiar su sufrimiento día a día con su madre, justificar por qué mi padre detestaba a la abuela.

Lo más difícil para mí de asimilar fue por qué mi madre tenía a la abuela en casa. Por qué mi abuela prefería vivir con nosotros que con cualquier otra tía. Por qué mi madre la trataba con tanto respeto.

La saga de mi abuela era extensa y escalofriante. Desde Esteban hasta mi abuelo paterno, con quien Rafa la sorprendió en la cocina. Dejamos de estudiar guitarra porque mi abuela también enamoró al maestro. La vida aislada que llevábamos, sin mucha actividad social, sin mucho contacto con la familia paterna, se debía en gran parte al talante sensual de mi abuela.

Ahora, pasados mis 30 años, ya puedo entender que lo que las mantenía juntas era la lucha que mi madre tenía que librar para perdonar a mi abuela; y mi abuela, a su vez, necesitaba continuar junto a mi madre para resarcir esa falta, aunque su manera de lograrlo era simulando que no había sucedido traición alguna.

A partir de ese día, la vida me fue desnudando y abandonando en la misma esquina donde desnudó y abandonó a mi madre.

El padre de Laura murió. La vida no era buena si Laura no podía tener una vida normal como cualquier niña y si no podía tener un padre vivo.

Laura ya no pudo volver al colegio. Las monjas eran malas porque no aceptaron becarla, ni asignarle a una religiosa de intendencia para que se ocupara de asistirla en sus estudios.

Mi abuela era una puta, como decía el abuelo. Y ya no podía hablar con ella, ni quererla ni respetarla. Quería demostrarle cada día que sabía por fin quién era.

Pasé el verano viendo por la ventana a Maru, con sus formas de mujer apareciendo coquetamente ante la galantería de mis antiguos amigos.

Me olvidé de la playa de enfrente, franca y apacible. Mi nuevo refugio era el patio de casa, que tenía vista al estero sombrío.

No podía leer. Cuando abría uno de los libros de Nietzsche y leía «Dios ha muerto», lo cerraba espantada. Me aterrorizaba pensar que fuera verdad que Dios estuviera muerto por siempre. Me daba miedo nunca dejar de ser el gusano que acusaba el autor, para convertirme en el superhombre que preconizaba.

Me volví más retraída. Junto a mí sólo estaba Marijose. Ingresé a la secundaria sin la esfera que representaba Laura. Me expuse ante mis compañeras con una mirada sin telones. Una mirada que veía la desnudez simulada en la hipocresía colectiva. Una mirada que veía en el Cristo colgado sobre el pizarrón a sólo un hombre muerto.

Empecé a dibujar, en un afán por adentrarme a la naturaleza, con ansiedad por descubrir las entrañas de la vida, su mecanismo. Y mi madre vio en ello no un signo de tormento, desesperación, sino una oportunidad para esculpir a su hija como una «damita dócil dada a las artes». Por eso decidió apoyar mi gusto por la pintura. Ella imaginaba mis cuadros colgados por la casa; imaginaba las alabanzas de sus hermanas, amigas y hasta de las vecinas.

Solía dibujar a Marijose. Quería desvelar por qué en su mirada veía a la muerte. Marijose posaba halagada; mi madre me sugería: Dibuja también a Rafa y a ti misma ¿no puedes? Para enmarcarlos y colgarlos ahí, en la entrada.

¿Cómo explicarle a ella mi mirada microscópica?

*Ahora era Beto el que cantaba, enfrente, con el pecho orgulloso ante los músicos. Y Esteban, el que fumaba detrás, en la oscuridad de las espaldas de los músicos que él pagaba.*

*Mientras en la penumbra de la ventana observaba a esos dos hombres, cantando sus amores, recordaba sus palabras.*

*No tengo nada que ver con esas mujeres. Te pegan porque son malas para bailar. Y te miran así por envidia, Conchita, no hay nadie más bonita y más fina que tú en el baile.*

*Pero ella es la que me persigue, Conchita. Y yo soy hombre.*

*Uno se disculpaba con una mentira piadosa y dos piropos. El otro disculpaba su hombría con verdades aberrantes. Entre una disculpa y otra, prefería el cinismo ingenuo de Beto.*

*Acepté nuevamente ser novia de Beto. Y nos casamos casi de inmediato, en mi ciudad natal. Tomamos esa decisión para ocultarme del llanto de Esteban, que encontré noche tras noche en la acera de enfrente; y para ponerle distancia a los codazos de la ex amante de Beto, la vieja gorda y prieta del baile.*

En cuanto inicié la secundaria, mi madre me habló de una señora española que daba clases de pintura y vivía cerca, en el caserío residencial de arriba. Mamá tomó el teléfono y se pusieron de acuerdo; las clases serían en nuestra casa, en el patio con vista al estero.

Para ir a inscribirme, subimos la cuesta que en mi niñez recorría con mis amigos, arrastrada en la avalancha por sus bicicletas. Reviví la profunda sensación de pérdida. A mi izquierda, mientras subía, veía la playa, susurrándome a través de las casas de todos mis antiguos amigos. Los veía a ellos en sus jardines, en sus aceras. Tal vez ya ni me reconocían. Dejé de mirar hacia allá y mejor elevé mi vista hacia la cuesta. Me preguntaba por qué permitía que mi madre se hiciera expectativas con la pintura, cuando mi interés era el de una naturalista. Me era imposible explicarle que al no poder reproducir la imagen de un ser vivo y con movimiento, quería descubrir qué era la vida. Quería llegar a la respuesta por el camino de la negación.

Allá arriba, las casas ostentaban orgullosas sus terrazas por las faldas del cerro. La casa de la maestra estaba rodeada de arbustos de granadas. Nos presentamos, pagamos la inscripción y nos dictó la lista de material que necesitaba.

En ese momento entró corriendo Alicia. Nos saludamos efusivas. Era nieta de la maestra de pintura y vivía en la casa de arriba. Me alegró la coincidencia. Claro, hubiera preferido tomar las clases allí, salir un poco de casa y poder jugar con Alicia después de mis clases.

Justo me preguntaba por qué una señora tan mayor, con una casa tan grande y con un estudio perfecto para las clases prefería ir a mi casa, cuando ella misma, guiñándome el ojo, me aclaró: Por fin tengo un buen pretexto para salir de casa; ojalá encuentre el alma de una gran artista, por lo pronto tu mirada promete mucho.

*Nunca había dejado de querer a tu padre. No pienses eso. Pero si te digo que me casé sin pensarlo, es porque no calculé que entonces tendría que dejar mi trabajo, mis clases de canto, mi tiempo libre para la lectura; mi libertad.*

*Beto dejó su empleo de mecánico en la ciudad y me llevó a su pueblo a vivir. Me decía que para ser mujer debía vivir en el campo. Yo creí.*

*No creas que sufrí el principio. Amaba a tu padre, me hacía feliz y teníamos muchas ilusiones sobre nuestro futuro. Queríamos tener muchos hijos. Queríamos iniciar una nueva vida.*

*A pesar de la pobreza en que vivíamos, con Beto me sentía protegida materialmente. No tenía ni un quinto, sólo un tractor que había comprado con sus ahorros y con el que prestaba sus servicios como tractorista en el campo. No era ambicioso, pero tenía vicio por el trabajo y así siempre hay futuro. Por eso siempre te digo que cuando seas grande no te importe si un muchacho es rico o pobre, sino que sea trabajador.*

*Tu padre trabajaba desde que amanecía hasta que caía el sol y siempre estaba pensando cómo mejorar su situación económica. Así fue como se le ocurrió que podía pedir en renta una parcela a su padre para trabajar la tierra, pero Beto es tan orgulloso, que una negativa le bastó para no insistir. Pero no se quitó esa idea. Se le clavó entre ceja y ceja.*

*Volviendo al tema: mi vida entonces no era muy distinta a la de mi niñez, con la diferencia de que ahora tenía en mis manos la oportunidad de darle vida a una familia amorosa, fiel, que unida luchara por su futuro.*

Mi maestra de pintura aderezaba las clases con frases que ella suponía motivadoras y que sólo me provocaban repulsión. Tienes futuro, decía mientras se enorgullecía de mis retratos. Yo callaba y ella repetía una y otra vez: Los artistas siempre guardan silencio ante su obra.

Lo que me enseñaba me aburría. Ella me limitaba a que copiara cromos que traía de su casa: cabañas presididas por un viejo arado en el pasto otoñal, un faro blanco y lleno de gaviotas en medio de un mar profundo, flores suspendidas en una irrealidad cursi.

Ella ignoraba lo que bullía en mí. A veces me daban ganas de reclamarle: ¿Puede ver mi mirada? ¿Sabe lo que promete mi mirada? Infertilidad, frialdad, crueldad, frustración y una vida podrida que nunca abandonará el estero trasero. Ella no veía mi alma, se apresuraba a dejar lista mi paleta, se daba la media vuelta y se iba con mamá a tomar el café de la tarde.

Sentía rabia. No estudiaba pintura porque quisiera llenar la casa de mis cuadros. Me acuclillé sobre el lodo mohoso de alrededor del estero y con mi índice empecé a dibujar líneas en el lodo. Dejaba que el lodo y mi dedo fueran dos energías magnéticas que se atrajeran una a otra, que se dirigieran una a otra. Advertí que las líneas tenían un movimiento que me era imposible reproducir en el lienzo. El lienzo es artificial; el fango es profundo; el bastidor no tiene vida; la tierra es el vientre de la vida; el pincel es un instrumento, mis dedos son parte de un ser que siente. Me sentía ante un gran descubrimiento, pero que no me llevaba a entender mi duda sobre la vida; al contrario, volvía el misterio más grande e inalcanzable. Era un callejón sin salida. No había más explicación para la vida que la vida misma. Y es precisamente lo vivo aquello que nos ofrece muerte al mismo tiempo.

El arte no me daba respuestas, entonces; en cambio, la medicina sí, pues no imita ilusamente la vida, sino la conserva, la cuida en su trayecto por la cuerda floja, con la insondable muerte amenazando abajo sin red alguna.

Miré hacia mi casa, con su romántico tejado, con sus postigos abiertos y las cortinas saliendo vaporosas por las corrientes de aire; y me parecía la imagen inocua de los cromos de mi maestra. ¿Qué tenía que ver con la vida? ¿Qué me hablaba de la vida ese hogar? ¿Qué me ofrecía a mí, sino sólo el sueño realizado de mi madre? No quería ser una gran artista. Quería ser alguien que se magnetizara con la vida, que danzara con ella como dos elementos que se atraen y se empujan en un constante movimiento, los dedos y el lodo. Y me daba cuenta que nunca sería ese alguien vivo mientras siguiera metida en esa esfera que era mi hogar y mi familia. Qué frustración empezaba a anidar en mi corazón. Nunca abandones el camino sin haberlo cruzado, recordé decir a mi madre. Pero era tal la prisión en la que sentía vivir, que ni siquiera tenía caminos. Sólo una vista al estero, al agua estancada y podrida de un estero.

*La única esperanza que encontraba mi vida miserable en aquel pueblo encontraba era un embarazo de un momento a otro y el amor de Beto cuando regresara de su trabajo.*

*Pero las dos promesas apenas se sostenían débilmente. Cada día mi suegra se encargaba de sembrarme dudas sobre mi posibilidad de ser madre. Eres demasiado finita, me decía, las mujeres así no sirven para parir; vas a ver que tu cuerpo no puede detener chamacos.*

*A la vez tu padre no siempre acudía a casa después del trabajo. Algunas veces no llegaba a dormir, otras veces regresaba demasiado borracho, otras llegaba en silencio y sólo se acostaba dándome la espalda.*

*Vivir en esas condiciones no era lamentable para mí. Así había vivido toda mi niñez. Pensaba que era parte de lo que debe vivir todo matrimonio recién formado.*

*No era la vida que había soñado, pero tampoco era una vida muy diferente a mi niñez. Era tolerable.*

*No teníamos sanitario en casa. Para hacer nuestras necesidades, teníamos que ir a la casa de tus abuelos y* ellos tenían como letrina sólo un agujero en unas tablas al ras del suelo. Una debía bajarse en cuclillas y sostenerse como fuera posible.

No teníamos agua. Yo debía acarrear por las mañanas unos baldes desde un pozo alejado hasta la casa para poder hacer comida, lavar los platos y regar un poco la tierra que teníamos por piso en el cuartito que era nuestro hogar.

No teníamos cama ni estufa. Dormíamos en un catre y atizaba afuera de casa, debajo de un árbol gigante que nos daba sombra.

Mis hermanas no me visitaban, afortunadamente. Si se hubieran dado cuenta de las condiciones en que vivía, habrían querido llevarme con ellas. Yo no hubiera aceptado. Para mí era preferible vivir así que vivir bajo el mismo techo que mi madre. Eso pensaba antes de aclarar mis sentimientos y perdonarla. Además era mi casa, Sara, era mi matrimonio.

Para ver a tus tías visitaba la casa de Teresa y ahí me esperaban Trini, Leonor y Rita. Como la miscelánea donde trabajaba antes estaba cerca, pasaba a visitar a don Casildo, que seguía regalándome libros para que no dejara de leer; y en ocasiones, viéndome con una combinación de lástima y reproche, intentaba poner en la bolsa unos pocos de cosméticos. Yo, con una mirada avergonzada de su generosidad y de mi descuido físico, aceptaba los libros y rechazaba invariablemente el resto de los regalos.

Para poder sobrevivir con optimismo a mi vida en el campo, me propuse tener el mejor jardín del pueblo. Eso no costaba más que acarrear agua del pozo.

*Abajo del árbol gigante visualizaba el jardín, y adormecida por la marea de los árboles, el vuelo de las cigarras y el canto de las palomas, soñaba cuando esa casa se llenara de niños, cuando Beto lograra estabilizar su situación económica gracias a su trabajo, cuando mi casa fuera un hermoso refugio para nuestro amor y felicidad plena.*

Cuando una dice que estudió con monjas, siempre se gana un gesto de desdén y burla. Yo no recuerdo un ambiente restrictivo. Para mí las monjas no eran figuras temibles; eran mujeres ejemplares y no por el hecho de ser religiosas.

Marijose y yo crecimos bajo la limitante: «no pueden, porque son mujercitas». Y yo veía que esas otras mujercitas podían vivir lejos de sus familias, incluso desde muy corta edad; ellas resolvían sus problemas, trabajaban, sostenían una institución educativa tan grande y prestigiosa.

De eso hablábamos Marijose y yo, sentadas en el fango que rodeaba el estero del traspatio, dibujando garabatos en él, tirando nuestras ideas junto con las piedras que arrojábamos tan lejos como éramos capaces en el agua estancada.

Yo avanzaba en el Bachillerato y las ciencias empezaban a clarificarse para mí. Mi hermana estaba a punto de ingresar a Secundaria y decía que quería ser monja. Yo le preguntaba ¿por qué no sacerdote? Una Marijose azorada me corregía la ambición: Pero soy mujer. No hables como ellos, le respondía.

«Ellos» eran nuestros padres y Rafa.

A ella y a mí no nos preguntaban qué queríamos ser. Por ser mujeres eso no se preguntaba. Sólo nos decían qué hacer. Cómo cocinar, planchar y realizar algunas actividades decorativas, como la pintura y el piano, que serían entregados como parte de nuestra dote a quien nos pidiera en matrimonio.

No es que Marijose tuviera mucha conciencia de esa condición; pero era posible hablar con ella porque su religiosidad comprometida también la escindía del mundo, así como a mí mi mente tumultuosa.

En cambio a Rafa la vida le había sido dictada literalmente. Mi padre lo inscribió primero a Agronomía y al constatar que el conocimiento técnico no le servía para mejorar sus negocios en la agricultura, lo cambió a Administración de Empresas.

Yo lamentaba tanto que la gran sensibilidad de Rafa fuera fundida para convertirla en una actitud pétrea; que los sueños de Rafa fueran marcados con un sello ajeno, impuesto y seguramente indeleble. Por ser el hombre de la casa, papá lo sometía al trabajo arduo y disciplinado.

Ni creas que por estudiar Administración serás un niño bonito de oficina, le decía papá. Rafa debía estar despierto a las tres de la mañana, para irse con papá al rancho. De ahí se iba a clases, y a la salida, de nuevo al rancho.

Veía a Rafa regresar con las pestañas, las uñas de las manos y el pelo cubiertos de tierra. Pero mientras la mirada de mi padre ostentaba el orgullo de cumplir con su misión viril de dejar la vida en el trabajo bruto del campo, yo veía con lástima la mirada de Rafa: sometida, acusadora de la buena vida que teníamos como «niñas», a veces solicitando auxilio.

Mamá, mi abuela, Marijose y yo cumplíamos el ritual de cada noche: llevar a la mesa una cena copiosa para los hombres de la casa. Ese trajín era algo que con el paso de los días fui odiando más, por lo que significaba.

Marijose y yo servíamos la mesa y atendíamos cada gesto fatigado y hasta desdeñoso de los hombres, vestidas con pijamas limpias, pantuflas mullidas y con el cabello recién lavado y perfumado. Y trataba de imaginar qué pensaba Rafa que desde niño tuvo que vernos así, nosotras en colegios privados y él en escuelas públicas; nosotras saboreando helados dentro de la cabina de la camioneta, mientras él observaba satisfecho desde afuera por la ventana.

Hubiera querido decirle: No somos envidiables, Rafa, a veces preferiría tu vida. Sobre todo cuando imaginaba las aventuras que ese día había tenido, los animales que habría visto parir, la tierra que habría abierto con sus propias manos para sembrar, el agua hasta su cintura para abrir las compuertas del riego.

Pero sabía que Rafa no tenía la vida que deseaba. Yo tampoco. ¿Cómo romper con eso? Una noche, durante la cena, pregunté enfrente de todos: Rafa, ¿qué te hubiera gustado estudiar? El silencio evidenciaba la irreverencia de la pregunta ante el orden establecido en nuestra familia. Fue la oportunidad para que Rafa expresara lo que hubiera querido ser, una pregunta que sólo él se hizo alguna noche y tal vez otra noche y otra, pero que nunca respondió, porque papá nunca la hizo. Arquitectura, contestó con voz clara y apresurada.

Papá ignoró la confesión de Rafa, y me pidió más frijoles y queso. En silencio, con una furia contenida, le llevé lo que pidió. Eso no me hacía muy distinta a Rafa. Yo no quería estar sirviendo la mesa, no quería que mi familia siguiera imponiendo el destino de cada uno. Pero no sabía cómo romper con ese esquema. Era como una riada que nos arrastraba a su voluntad.

*Mientras arreglaba el jardín, rezaba una novena que me había aprendido de memoria para poder concebir un hijo. Sentía que al preparar mi jardín preparaba mi vientre. Bastó que se me retrasara la regla unas semanas y que me sintiera con sueño y débil, para que mi suegra me diera el diagnóstico: estaba embarazada.*

*Yo no lo podía creer, pero cuando empecé a ver mi vientre abultarse y crecer redondo y duro, como un mundo, entonces me convencí. Y recé otra novena en agradecimiento por el favor y para pedir por la salud de mi hijito.*

*Tu papá se puso feliz. Me confesó que había llegado a creer lo que decía su madre, de que yo no servía para tener niños.*

*Lo que era una promesa de felicidad, se convirtió en un infierno. Tu padre se ausentaba con más frecuencia. Tu abuela me confesó que Beto tenía una aventura: Para que se te quite, tienes que aprender a ser más mujer.*

*¿Qué me faltaba para ser mujer? Por fin estaba embarazada, tenía el jardín más bonito del pueblo, mi casa no parecía la más pobre, porque la tenía limpia y arreglada con dignidad.*

*No me falta ser mujer, pensaba, me sobra panza. Mira la vieja gorda, parece que se comió una sandía, me gritaban los niños cuando me veían pasar del*

*pozo a la casa, cargando los baldes de agua. Eso era
ser mujer. Estar embarazada y cargar baldes de agua,
estar embarazada y seguir haciendo tortillas de harina,
y seguir cortando leña, y seguir usando la pala para
seguir sembrando.*

*Beto, ya estoy muy gorda, ¿por qué no me haces una
letrina en casa, y con una tarima altita, para poder
sentarme? Ya es muy difícil agacharme con esta panza.
Imagínate cuando esté recién parida. ¿Te quieres hacer
mujer? Pues aguanta, todas las mujeres del pueblo viven
así; tú por lo menos tienes la suerte de tener un hoyo en
la casa de mi mamá.*

*Lo único que le pedí a tu padre es tener a mi hijo en
la ciudad y en un hospital. Tu abuela se oponía. ¿Por
qué no con partera, como todas las mujeres aquí? Yo no
arriesgo a Conchita y a mi hijo, ella es muy delicadita,
ya ves. Tú sabes, Beto; así nunca se hará mujer.*

*Tu padre trabajó como obsesionado para pagar
el parto en un hospital privado, porque no teníamos
seguridad social.*

*Así nació Rafa. Casi cinco kilos de peso, 57 centíme-
tros. Blanco como mi padre. La delicadita de tu madre
tuvo a ese muchachote, sano, guapo, y sus senos pequeños dieron ríos de leche para amamantar a su hijo.*


Eran ríos de gente los que corrían para despedir a los
pescadores que se iban al camarón. Se celebraba misa en el
malecón, debajo de la estatua a El pescador, y las niñas del
colegio nos uníamos a la ceremonia para cantar y despedir
a los barcos camaroneros con pañuelos blancos.

Ese año Marijose tenía un papel especial. Las monjas, motivándola en su vocación, la asignaron para dirigir la oración y para arrojar al mar la corona de flores de la Virgen.

Algunas compañeras del colegio eran hijas de pescadores y cuando los barcos empezaron a partir, haciendo sonar sus sirenas de despedida, empezaron a llorar mientras agitaban los pañuelos. Yo agitaba el pañuelo imaginando que me alejaba por el mar. Marijose regresó con lágrimas en los ojos. Imaginé que estaba emocionada con la ceremonia. Pero ella me dijo con la poca voz que le permitía el llanto: Algún día tendré que despedirme. La abracé y le confesé: Algún día quisiera despedirme.

Regresó a su fila, y al poco tiempo ese mar de gente volvió a agitar su marea. Automóviles, niños, policías, jovencitas, autoridades, vendedores de dulces y helados, bicicletas, ancianos, monjas, motos y más automóviles tratando de abrirse paso entre la gente. Todavía se escuchaban las sirenas entre el bullicio de la gente. Un frenazo de coche aquí y allá. Un frenazo más intenso, un golpe seco y gritos. Por las crestas de esa marea de gente corrió el rumor: Atropellaron a una alumna del colegio.

La imagen de Marijose con sus ojos abiertos, impávidos debajo del mar, me abrió paso entre la gente como un llamado irracional. Y así la encontré. Tirada en la calle, con sus bellos ojos abiertos viendo hacia la nada del cielo, hacia la nada de la vida, viendo sin luchar, viendo sin ver. No hay sangre, señalé con esperanza. La monja que a su lado gritaba me avisó: No hay pulso.

Me subieron a la ambulancia junto con Marijose y la monja. La torreta roja daba vueltas con una locura imposible de detener; la sirena permanecía en silencio. Nunca había sabido el esfuerzo que significa respirar, hasta ese momento en que sentía cerrados los pulmones, la tráquea, la garganta, la nariz, el corazón, la vida. Un sollozo subterráneo se arrastraba en mi interior, de la nariz al estómago, como si a su paso abriera con cuchillas el camino, hiriendo, matando, reviviendo. La vida parece entonces un enemigo con el que luchas cuerpo a cuerpo. En la cara me golpeaban las preguntas, ¿dónde está el manto divino que protegería a mi familia? Y veía a Marijose desmontar la corona de la Virgen y arrojarla al mar. ¿Por qué ella que llevaba como un peso su futura despedida, se iba? Y veía al paramédico aplastando una y otra vez su pecho. ¿Por qué ella se iba? ¿Por qué ella se iba?

Llegamos al hospital. Cuando en pleno pasillo veían las descargas eléctricas en el pecho, todo mundo desaceleraba el paso, enmudecían, me miraban con prudencia. Un hospital no está hecho para los muertos, pensaba mientras Marijose se alejaba en la camilla. A un hospital no se lleva a los muertos, fue mi consuelo, hasta que los vi cubrir la mirada abierta de mi hermana con una sábana.

Mamá y Rafa llegaron quince minutos después. Me preguntaban lo que se pregunta en un hospital, si Marijose estaba bien, si yo la había visto, si había hablado con ella, si estaba muy golpeada, si había visto cómo sucedió todo. Yo alternaba el no sé con el no, el no sé con el no. El tiempo pasaba denso y me preguntaba quién tendría que decir la verdad. La monja había desaparecido con los doctores.

Mi madre se hundía en preguntas: ¿Qué están haciendo, Sara? ¿Y el doctor? Quiero pasar, ¿a dónde se la llevaron?

Se la llevaron, solté un hilo de voz, a Marijose se la llevaron. No está aquí. Marijose murió.

# III

No sé si hay en el mundo una mujer que haya disfrutado más que yo la maternidad. Todo el día giraba alrededor de mi niño: la hora de amamantarlo, la hora de sacarle los aires, la hora de cambiarlo, hora de dormirlo, hora de pasearlo, hora de amantarlo, hora de sacarle los aires, hora de cambiarlo, hora de dormirlo...

No podía dormir de imaginar que dejaría de respirar. En el pueblo todas las mujeres envidiosas, incluyendo a tu abuela, decían: Este niño hasta parece mujercita de tan bonito; ¿tú crees que se va a lograr? Si se logra va a ser mariconcito, mírale la cara.

Le pedí a Beto ponerle Rafael a nuestro hijo, como mi padre. Tu papá fue tan comprensivo. Todos se oponían; querían el nombre Alberto.

Pero él sabía lo que le estaba pidiendo. Desde que había nacido nuestro hijo, recordaba todos los días a mi padre. Veía la cara de tu hermano y pensaba que así había sido tu abuelo. Un niño así de bello, así de amado, así de inocente. Trataba de imaginar dónde estaba ahora tu abuelo, despojado del amor de sus hijas, carente del amor básico de una esposa. Y luego pensaba en mí. No podía imaginar cómo había sido recibido mi nacimiento. No podía imaginar a mis padres arrullándome como lo hacía yo con Rafita. No podía pensar en mi madre amamantándome en su seno, con sus brazos amorosos y sorprendidos de tener esa vida frágil dependiendo de ella.

Todos los días al ver a Rafita recordaba a mi padre, mi propia vida. Y no sabes cuánto lloraba. Tu abuelo y yo éramos dos personas desheredados de amor. No hay nada más doloroso que el desamor.

Alrededor tenía una vida tan miserable como la que vivieron mis padres. Pero me empeñé en que esas cortinas que servían de puertas no fueran las dolosas manos que nos invitaban a abandonar la casa. Me empeñé en que Rafita respirara, viera, escuchara sólo amor.

A su modo, Beto tuvo el mismo empeño. Una noche escuché cómo llegó, casi en la madrugada; tomó a Rafa en los brazos, lo besó y como si fuera un niño en el regazo de un ser mayor, se puso a llorar.

Seguramente esa noche a Beto lo atormentaban imágenes de su niñez muy similares a las mías. Lo atormentaba la brutalidad y lejanía de un padre tirano; la crueldad de una madre que usaba la maternidad como un arma mezquina de control.

Vivir en el campo no me hizo más mujer de lo que ya era. Me hizo conocer mejor el mundo de Beto, comprender su debate entre un hombre sensato y amoroso, y un dictador rudimentario y desconsiderado.

Escuchaba en todo momento el llanto de mis padres. Espiaba para rastrear sus lágrimas y gemidos. Cuando me aseguraba que sí estaban llorando, permanecía pegada detrás de la puerta hasta que volvía el silencio. En otras ocasiones, lo que escuchaba sólo era el llanto que había quedado grabado en mis oídos, como el mar que resuena interminablemente en el caracol.

Escuchaba sin intervenir. Y así hacíamos cada quien. Rafa seguía su vida sin hablar conmigo del asunto para no hacerme llorar. Yo no podía hablar con mamá para no hacerla llorar. Mamá no hablaba con papá para no hacerlo llorar. Papá callaba ante Rafa para no hacerlo llorar. Evitar el llanto era la misión cumbre de todos.

Todos vivíamos de manera propia el dolor. Cada quien tomaba sus refugios. Pero no queríamos estar al lado de quien también sufría. Nos abandonamos unos a otros.

Alicia me visitaba con frecuencia, pero no tocaba el tema de mi hermana, pensaba que me hacía daño.

La sensación más fuerte que yo tenía era de estupefacción. Marijose y yo nos habíamos acercado mucho en los últimos años. Era una jovencita muy intensa, con planes claros sobre su futuro. Imaginar su cuerpo en el féretro, aceptar que había sido despojada de su vitalidad de manera irreversible, no era aceptable para mí. Su belleza me parecía absurda.

Me daba cuenta que seguía teniendo la misma duda de mi niñez: ¿De qué está hecha la muerte? ¿De qué estamos hechos nosotros, que en un segundo la vida se escapa ante el ridículo? La muerte es ridícula. El accidente de Marijose fue ridículo.

Por primera vez tuve que situar mi campo de batalla no en la razón abstracta, sino en la realidad. A mí me tocó ver a Marijose muerta, viajar con su cuerpo inerte en la ambulancia, dar la noticia más dolorosa que a una madre se le puede dar.

Tenía el panorama completo. Abracé a Marijose segundos antes de que muriera, la vi segundos después de morir. Pero nadie podía explicarme qué sucede entre ese momento en que algo vivo muere. ¿Quién puede explicarlo? ¿Quién lo decide? Lo único que me parecía evidente es que eso sucedió ante las manos de los médicos; que aunque no pudieron evitarlo ni predecirlo, ellos eran capaces de atestiguar ese momento en que la vida se escapa. Tal vez no se trata de descifrar algún misterio, sino de ser testigo.

(Te prometo que no nos extraviaremos en el dolor como cuando murió Marijose. Ahora que te veo me doy cuenta que la muerte no se puede evitar, pero sí vencer. Tú estás venciendo con tanta dignidad. Te prometo que aprenderemos cómo vivir esto.)

A raíz de la muerte de Marijose, mi perspectiva de la familia se invirtió totalmente. Mis padres dejaron de ser esa protección de acero que ajustaba nuestros sueños, nuestros impulsos, nuestros alientos. Eran dos seres lánguidos, una viendo por la ventana y el otro, al techo; con sus ojos despojados de paisaje. Cada uno puso distancia a su modo. Mi padre se iba al rancho. Mi madre se iba a un lugar profundo de su ser, donde no podía vernos, ni amarnos, ni escucharnos; desde donde musitaba unos quejidos más parecidos a los suspiros de una bestia herida.

Mamá, ¿dónde estás?, le preguntaba. Y ella no respondía. Una y otra vez le repetía la pregunta; no es que me importara tanto dónde estaba, más bien era una súplica a que volviera.

Donde quiera que mi madre esté, es un lugar muy hondo, pensaba. Encontré mi punto de fuga ante ese dolor. Empecé a estudiar sobre la constitución del cerebro, las reacciones químicas y neuronales que se generaban ante el sufrimiento o la incomprensión derivada de la muerte.

Encontré en la lectura un refugio y en la ciencia, una muralla sofisticada para sentirme aledaña al dolor de mis padres, sin necesidad de tocar sus llagas internas y curarlas con mi amor, mi abrazo, mi alegría, mi consuelo.

Repentinamente mi madre iba del suspiro al llanto. Estaba sumergida en un mar de emoción. Mi espacio era tierra firme, una meseta vasta, yerma, con un horizonte interminable. Ese es el mapa de la razón. Ese es el espejismo de la ciencia.

Quería encontrar la solución científica para que mi madre saliera de ese mar. Mientras racionalizaba teorías, las hacía y deshacía, mi padre lo logró abrazándola y sollozando en su oído: Mujer, tú siempre has sido muy inteligente. Eso me enamoró de ti, eso me mantiene a tu lado; lo que te estás haciendo no es digno de ti. Mi madre rompió en llanto y se abrazó a papá.

Ante mis ojos estupefactos, mamá había salido del lugar oculto en su interior. Pero Concepción, la mujer, no volvió; todavía no. Días después, la ciudad estuvo en peligro de explotar por un problema en la termoeléctrica.

¿Escuchaste, mamá?, subí el volumen de la radio buscando la información sobre el riesgo que corríamos en la zona donde vivíamos. Tan difícil de concebir me resultaba que la ciudad estallara, como la sonrisa sorprendida de mi madre: ¿Te das cuenta, Sara? Si la ciudad explotara nos moriríamos todos juntos y estaríamos con tu hermana.

Toda mi vida quejándome de la sobreprotección de mis padres y ahora, que todo era desolación, no escapaba. Recordaba esa imagen narrada de mi madre, en el vano de la puerta, con las cortinas invitándola a salir. Ahora mi casa también tenía cortinas invitándome a abandonarla. En cierta manera mi madre ya nos había echado. Éramos nosotros quienes creíamos permanecer ahí. Éramos nosotros los que nos empecinábamos en el vano de la puerta.

En ese momento entendí por qué mi madre no dejó su casa. La habían abandonado, pero ella no deseaba abandonar a su familia. A mí por fin ya me habían abandonado, ¿tendría el valor de abandonar a mi familia?

*Había logrado tener el jardín más bonito del pueblo. La casa más encantadora y limpia, a pesar de la pobreza. Había logrado hacerme mujer, en el significado de tu abuela, partiendo leña, acarreando agua del pozo, yendo al monte para hacer mis necesidades, criando a un niño bello y sano.*

*Pero cada vez que veía a tu padre le pedía volver a la ciudad. En todo el pueblo se sabía de la relación de Beto con la prieta aquella del baile. Tú te lo buscas, Concha, arremetía tu abuela, también hay que ser mujer en la cama.*

*¿Y qué era yo?*

*La vida en el campo me asfixiaba. Ya no podía lograr más. No soportaba que mi hijo creciera en esa miseria, en ese horizonte tan poco prometedor. De niña podía cambiar las ramas de los árboles por los telones rojos y sedosos de un gran teatro. Desde que había nacido Rafita mi imaginación no podía ir más allá del llanto de mi propio hijo, más allá de los bichos asediando sus ojos, más allá de las moscas queriendo mendigar en su boquita, más allá del triste canto de las palomas, las cigarras y de los árboles desparramando el calor de las tardes.*

*Yo ya no pertenecía a ese mundo. Y no podía condenar a mi hijo a una vida como la que yo había tenido. Yo no era como mis padres. No quería tener el cinismo de tu abuela Delia. Tampoco quería ser como tu abuelo Rafael, que resignado esperaba la llegada de su esposa infiel, en el vano de la puerta. La misma puerta cuyas cortinas invitaban a huir de ahí.*

*Tres días de ausencia de tu padre bastaron para la decisión. Tomé mis pocas cosas y la única razón de mi vida: a mi hijo. Fui a la casa donde tu padre se entretenía con esa mujer y le dejé una carta con el niño que cuidaba la puerta, para que el siguiente cliente aguardara su turno.*

*Me fui caminando por la carretera. Sólo esperaba no encontrarme con tu abuelo, porque seguramente me obligaría a regresar. Por fortuna el carro que se detuvo fue el del mejor amigo de tu padre. Era un muchacho de corto entendimiento, pero bueno como el pan. ¿Adónde vas, Conchita? Cualquier pretexto sirvió de inicio para* justificar mi salida. Y pudo más su apuro por no eviden-ciar a su amigo que la suspicacia, de la que además carecía.

Así me encontré en casa de mis hermanas. Mi madre no atinó a hacer ninguna pregunta cuando me vio. Sabía que ella, menos que nadie, tenía derecho para pregun-tar y reprocharme por qué me había casado con ese hombre. Estaba demasiado involucrada en la historia como para no sentirse culpable. ¿O ese silencio era parte de su cinismo?

Por la tarde quise sacar a Rafita al porche; al abrir la puerta observé que en la acera de enfrente estaba Esteban parado, fumando, observando hacia la casa. La presión bajo la que vivía no me hizo pensar con rencor sobre nuestro pasado. Me sentí avergonzada. Cuando una está orgullosa de su pareja, ve al antiguo amor con la soberbia de quien ha rechazado algo bueno por algo mejor. Tenía enfrente de mí a un poco hombre, ruin, y aun así me sentía apenada porque mi vida no era mejor que la que él hubiera ofrecido.

Mi existencia empezaba a ser una pesadilla, Sara. Pero solía pensar que lo merecía, o que la vida así era para todos y así debía ser para mí también. No conocía otra manera de amar más que esa que me ofrecía Beto. Al final de cuentas me sentía afortunada. Yo no huía de casa, ni regresaba con mi espalda sucia, yo esperaba a mi marido y protegía a mi hijo. Anocheció y vi por la ventana desaparecer el fuego del cigarro que confirmaba el retiro de Esteban.

Como en los viejos tiempos, Beto llegó un poco más tarde con serenata, a asomar su cara arrepentida por la cerca. No eran recuerdos agradables para mí. Ya no era aquella Conchita que asomaba con su cabellera brillante, rojiza, con su vestido pomposo, con su sonrisa llena de coquetería chispeante, la que deslumbraba no sólo a Beto, sino a los demás pretendientes que aguardaban en la cerca. Ahora era una Conchita que lloraba en la cama, con una cabellera opaca, con un vestido más parecido a un camisón barato para dormir, con ojos lánguidos, sin color en sus mejillas ni en sus sueños.

Tu tío José, con su tono paternal de siempre, reprendió a tu padre. Ya ni la chingas, Beto, yo te entregué a esta muchacha en la boda, sabes la calidad de mujer que es, ¿por qué le haces daño? Ayúdame, Pepe, no sé qué hacer, escuché la voz grave de Beto.

Entró Trinita a la habitación y me animó: Habla con él. Cuando levanté mi cara llorosa, tomé conciencia de que en efecto yo no era la misma Conchita; pero Beto sí era el mismo hombre suplicando por mi amor, con su mirada negra brillante, con su tormento arremolinado en sus rizos oscuros.

Salí y le pedí que regresara al siguiente día. Me alegré de que Beto acudiera muy temprano, tranquilo y sobre todo, con ganas de vencer sus silencios y no sólo escuchar. No quiero repetir la historia, le dije; no quiero para Rafita la infancia que tuviste tú o que tuve yo. Beto me abrazó y ocultó de mi vista el llanto que lo sacudía. No sé cómo ser un hombre diferente a mi padre, Conchita, no soporto ver qué tanto me parezco a él, mezquino, cruel, lejano.

Tomamos algunas decisiones juntos. Mudarnos a la ciudad, dejar de trabajar en el campo, terminar su

*relación con la gorda prieta y ser los padres que hubié-*
*ramos querido tener.*

Al terminar el ciclo de clases, mis padres me propusieron matricularme en otra escuela, dejar a las monjas, porque querían evitar recuerdos. Sorpresivamente me dieron la posibilidad de elegir dónde terminar el Bachillerato. Elegí un instituto mixto que estaba cerca de casa, con vistas al mar y donde estudiaban mis vecinos. La universidad, contigua, estaba dedicada a ciencias marítimas, tenía laboratorios modernos y jóvenes científicos de varios países. Alicia logró que sus padres también le concedieran el cambio para poder estar juntas.

Durante el verano me refugié más en los libros, en el silencio, en un laboratorio propio cada vez más complejo. Alicia me visitaba y soportaba mis reflexiones; se conformaba con que no hablara de Marijose, lo que había asumido como misión.

Le decía a Alicia que Dios ya no era garantía de nada para mí. O no el Dios que yo había concebido de niña. Que ya no me daba miedo leer en Nietszche «Dios ha muerto». Tampoco me daba miedo leer a Hesse sobre Abraxas, ese Dios bondadoso y perverso a la vez. Le confesaba que soñaba con romper el cascarón y nacer de nuevo.

Ella escuchaba y eso me bastaba. Yo correspondía su paciencia amistosa acompañándola a los sitios a los que ella quería ir; mis padres ya no me negaban el permiso.

Un día me invitó a acampar el fin de semana en la playa junto con los compañeros que tendríamos el próximo curso. Era extraño y a la vez de esperarse que mis padres no se opusieran a la invitación. Rafa tampoco estaba al tanto de casa, ya que estaba viviendo su primer noviazgo serio.

Acampar fue una experiencia simbólica. Allí estaban mis amigos de la infancia, mis vecinos abandonados por la niña popular del barrio que alguna vez fui. Todos sabían lo que había pasado en mi familia, por lo que tuvieron la delicadeza de no enfrentarme para que por fin les diera la explicación de mi encierro.

Sólo Miguel, tomándome de la mano, me preguntó, más como una forma de darme la bienvenida: ¿Cómo pudiste privarnos de ti por tantos años? ¿Y cómo pudimos permitirlo?

También estaba Pano, recién llegado de Estados Unidos, donde había estado un año para estudiar inglés; y ahora estaba frente a mí sonriendo junto a su pareja, un chico norteamericano. No había preguntas que despejar, sólo dejar el terreno libre para volvernos a sonreír, comprendiendo que veníamos de caminos sinuosos.

Veía a todos mis amigos de la infancia con sus rostros sonrientes, con sus cuerpos tan relajados, con sus miradas tan llanas y simples. Y especialmente frente a Pano me daba cuenta que yo no era yo, pero ya era libre de ser yo. Me daba cuenta que si alguien podía comprender de mis tormentos que se agravaron después de mi Primera Comunión, era justo él.

Nadie, tal vez ni Alicia, sospechaba de dónde venía yo. Nadie sabía por qué mi mirada parecía ver hacia dentro de mí y de los demás y nunca sus rostros. Nadie sabía por qué mi cuerpo se sentía desnudo al exponerse frente a los demás. Nadie sabía los pasadizos entre mis cavernas internas. Nadie sabía las voces que se enfrentaron en cruentas batallas en mi mente. Nadie sabía de mi constante y profunda sensación de despojo, que era dolorosa y al mismo tiempo liberadora. Nadie sabía lo que se siente estar huérfana y sin Dios, y caminar por un laberinto de espejos donde sólo se ve uno mismo, y nunca se es uno, sino múltiple.

Todos hablamos en torno de una fogata. Yo estaba y no estaba en la conversación. Me representaba un enorme trabajo esfumar esas capas interminables en la conciencia que me distanciaban del mundo real. Podía seguir la charla, pero mi mente seguía con su discurso interno.

Hacía tantos años no volvía a sentir esa libertad de estar en la playa sin el lazo asfixiante de mi familia. Por fin mi familia me había liberado. Pero observando el fuego me di cuenta que no había sido una decisión de ellos, sino una omisión, un descuido en medio del dolor que padecían. La libertad así me parecía robada, artificiosa, una trampa, una jugada por la espalda; y no era eso lo que quería para mí. En ese momento decidí permanecer con mi familia. Aceptar el amor de mis padres, así, excesivo, doloroso. Yo aceptaba amarlos, a pesar de esa distancia de reserva que me persiguió toda mi niñez, desde el nacimiento de Marijose.

Curiosamente esa decisión provisional era lo que realmente me liberada. Me sentía más libre, y el ser libre a lo primero que se enfrenta es a elegir su vida.

*Tu padre había vendido el tractor y había comprado un camión de flete. Viajaba mucho llevando frijol, maíz,* trigo o sorgo de un lugar a otro. Seguíamos viviendo con penurias, pero la vida se había vuelto más llevadera desde que no vivíamos en el pueblo. En la ciudad me sentía una mujer fuerte y más valiente. Nunca más me volví a sentir frágil y finita.

Como comprenderás, tu padre se ausentaba por días. Estar sola ya no me asustaba. A veces tu padre tardaba más de lo planeado en regresar y nos quedábamos sin nada que comer, pero siempre encontraba la forma de resolver los problemas. Compartía el patio con una vecina, de la que sólo me separaba una malla maltrecha de alambre; tenía gallinas de la que sólo me separaba una malla de alambre maltrecha. En mi patio ponía trampas y maíz. Las gallinas se acercaban a comer, atrapaba una y a las otras las dejaba ir. Una vez atrapada, le torcía el pescuezo, la ponía a cocer, la desplumaba, la cortaba y la guisaba. Al rato había un olor a pollo delicioso. La vecina llegaba: Oiga, Conchita, se me perdió una gallina, ¿no la habrá visto por aquí? Claro que no, doña, ¿usted cree que no me daría cuenta con lo ruidosas que son? le respondía. Recuerdo y me muero de risa, ¿cómo crees que no iba a sospechar con el olor a caldo de pollo que impregnaba toda la casa y salía hasta el patio?

¿Que si no me da vergüenza? No, ¿por qué? No sentía que estaba haciendo algo malo, al contrario, era una forma de superación para mí. Me demostraba a mí misma que no tenía miedos, que podía sobrevivir sin tu padre y que como madre tenía la entereza para cuidar de mi hijo.

A pesar de que estábamos lejos de tus abuelos, sentía presente la sombra de mi suegra al cumplirse sus vaticinios. Tuve dos abortos seguidos. De seguro la doña te echó mal de ojo, aseguraba Rita. Pero trataba de no mortificarme, pues Rafita crecía y al tiempo volví a embarazarme. El embarazo llevó su riesgo, adelgacé mucho, tuve una anemia acentuada, pero al término de los nueve meses, nació una niña, justo lo que deseábamos tu padre y yo: dulce y tranquila, con unas elegantes manos largas. No puedes sospechar la enorme felicidad que nos diste, Sara.

Como quedé tan débil, tu abuela Delia se mudó provisionalmente con nosotros para cuidar de mí y de Rafita. Todas tus tías se habían casado ya, así que ella había estado viviendo en la casa de su jefe, donde cuidaba a las niñas. Dejó su trabajo y se instaló conmigo. Entre nosotras empezó a tejerse un sobreentendido. Ella me había fallado, pero yo también había fallado en el tipo de vida que llevaba. Pagábamos culpa con culpa, saldábamos los reproches mutuos con silencios mutuos.

Cuando naciste, Sara, no tenías cuna. Era el invierno más crudo que se recordaba; incluso mucha gente murió de frío. Para nosotros era mejor que durmieras con nosotros. Entre tu padre y yo te dábamos calor, y yo podía estar tranquila al cerciorarme a cada momento que respirabas. Tu padre dejó de tomar, porque le daba miedo que al llegar borracho te aplastara.

Nos cambiaste la vida, Sara. Eras una muñeca. Nunca llorabas, y cuando llorabas lo hacías tan bajito, que tu padre no despertaba. En la posición en que te dormías, así amanecías.

Durante una siesta, descubrí que un alacrán había caído a tu lado. Me asusté mucho. El techo era tan viejo, que de seguro había cría de alacranes. Al siguiente día, llegó mi madre con una cuna rosa con mosquitero. Fue un alivio, porque ya ni las moscas te molestaban. Justo a los dos días de haber estrenado la cuna, se cayó el techo de la recámara donde sólo tú estabas. Gracias a la cuna no te golpeaste. Te saqué de allí, cubierta de polvo, con tus ojos enormes viendo hacia todos lados, pero sin llorar.

Cuando pienso en lo que hubiera pasado si tu abuela no te compra esa cuna, me quiero morir. Nos fuimos a casa de Teresa a esperar a que regresara tu padre para mudarnos a otra casa. Agradecida con mi madre, la invité a vivir por tiempo indefinido con nosotros, y así fue por largos años.

No fue fácil para tu padre aceptar a tu abuelita. No se caían bien, porque él conocía toda la historia entre nosotras. Pero pasaba tanto tiempo fuera, que también le tranquilizaba saber que estaba acompañada.

Después de lo sucedido con el techo de la casa, tu padre ya no viajaba tan tranquilo como antes. Así que apresuró sus planes: vendió el camión y compró dos taxis. Él manejaba uno y era concesionario del otro. Tenía un cliente muy bueno, don Gaspar, un agricultor de mucho dinero en la región, que por la edad tan avanzada ya no conducía. Beto era casi como su chofer, así que tenía un ingreso bueno y seguro.

Miguel era dos años mayor que yo, así que su mundo me resultaba muy libre y atractivo. Siendo amigo de unos sacerdotes jesuitas, todos los fines de semana participaba en unas jornadas que organizaban en los pueblos de alrededor. Había catequistas, médicos, alfabetizadores, sicólogos, Miguel hacía el trabajo duro y el trabajo blando. Ayudaba a construir casas, a encalarlas, a hacer corrales y letrinas; por las noches, sacaba su guitarra y cantaba.

Empecé a acompañarlos. A mis padres les parecía bien que volviera a acercarme a la iglesia. Yo aprovechaba mi gusto por la medicina para impartir cursos de higiene y primeros auxilios a las comunidades rurales que visitábamos.

Cuando todo mundo se retiraba, Miguel se metía en mi casa de campaña. Se acostaba sobre mi almohada, tomaba el libro que llevaba para leer, o revisaba mis dibujos, y sin más ni más empezaba a hablar: Imagínate si viviéramos en comunidades autosuficientes, donde la gente sólo necesitara canjear sus bienes... Desaparecería el dinero, ¿y te das cuenta lo que sucedería, si comunidad por comunidad, el dinero fuera desapareciendo?

Las reflexiones de Miguel me hacían reír, no porque careciera de su misma ingenuidad; sino porque la mía creía más en una liberación personal, interna, que en una social como lo proponía él. Liberarnos personalmente nos podía llevar a esa vida; en cambio, de la social desconocíamos cuántas generaciones requería. Hablábamos mucho; finalmente coincidíamos en que éramos dos inadaptados en el mundo, buscando nuestra manera de dejar huella en la vida.

Cuando menos me di cuenta, Miguel y yo éramos novios, resultado de una falta de voluntad mutua, más que por entrega. Bastó con que yo no lo corriera de mi casa de campaña para que Miguel creyera que lo estaba invitando a pasar. Bastó con que guardara silencio, para que creyera que quería escuchar sus teorías de economía evangélica. Bastó con que le sonriera, para que creyera que podía besarme. Bastó con que respondiera sus besos, para que creyera que aceptaba ser su novia.

Tú no amas a Miguel, me dijo Mario, uno de los jesuitas. ¿Y tú crees que Miguel me ama a mí? le pregunté. Y Mario respondió algo que me llevó mucho tiempo entender: No esperes amar sólo cuando eres correspondida; en el amor no cabe la reciprocidad, Sara.

A menudo pensaba en esta premisa de Mario. No por Miguel, sino porque para mí tenía un significado más amplio. La ley de la reciprocidad me había atormentado toda la vida. Se me dificultaba amar a mis padres en la medida en la que ellos me amaban a mí, me oponía a lograrlo además. Tampoco me sentía capaz de responder al amor de mi maestra, de mis amigos.

Mediante procesos especulativos me acerqué al pensamiento de que tal vez con Dios esa ley de reciprocidad se rompía. Se suponía que Dios nos prodigaba un inmenso amor. A la vez meditaba que al ser absoluto, Dios no necesitaba de respuesta nuestra, no la exigía. Justifiqué así mi respuesta intermitente, a veces leal, otras incrédula, hacia Dios a lo largo de mi vida.

Las jornadas de los fines de semana me concentraban en esa reflexión sobre la no reciprocidad de mi espiritualidad. Como telón de fondo estaba Miguel, que se quedaba en mi casa de campaña, que me hacía sentir mujer, que me colocaba en un lugar fronterizo entre lo que esperaban mis padres de mí —un noviazgo y luego un matrimonio—, y lo que yo deseaba: libertad, trascender en la vida.

Mi familia aceptó gustosa mi relación con Miguel. Lo conocían desde niño y confiaban en que viajábamos a las jornadas bajo el cuidado del padre Mario, como le llamaban. Además, para mis padres la familia de Miguel era más que aceptable. Y para la familia de Miguel, la mía no tenía objeciones.

*Así es la vida, a veces parece que cumple los sueños de golpe, como si saldara las largas deudas. Pero nada es mágico, todo lleva su esfuerzo. Por eso siempre les digo que no esperen a que las cosas les caigan del cielo; o que se esfuercen, porque el flojo siempre trabaja doble. Tu padre así se esforzaba, trabajando doble turno y ahorrando como hormiguita, porque tenía muchos sueños por delante.*

*Un buen día, Beto llegó en una camioneta y nos llevó a pasear afuera de la ciudad. No hagas preguntas todavía, me pidió. En silencio paseaba como si desde siempre hubiéramos tenido esa camioneta, como si nunca hubiera tenido que acarrear baldes de agua, como si nunca hubiera tenido que robar gallinas, como si nunca se nos hubiera caído el techo de la casa. Me concentré en sentir el viento en mi pelo, acariciando mi cara. Me concentré en cerrar los ojos y sentir la libertad de quien no conduce.*

*Cuando llegamos, vi un campo sombreado por un gigantesco árbol, tan viejo que las raíces salían abultadas de la tierra. La sombra hacía más intenso el verde de la hierba. El viento agitaba con alegría las ramas, las hojas, el pasto. Frente a mí tuve la visión de mis columpios de lianas con flores en los que paseaba de niña en mis alucinaciones febriles.*

*Beto me explicó: Vendí los taxis con los permisos de concesión, compré la camioneta y alquilé esta parcela para sembrar. Don Gaspar me prestará la maquinaria y me echó la mano para conseguir crédito en el Banco Rural. Quiero empezar ya.*

*Reí feliz. Beto me tomó en los brazos y corrió conmigo por los prados. Yo seguía con los ojos cerrados, los brazos de Beto eran los columpios que me alejaban de la tristeza, de la tragedia, de la soledad. Me recostó en la hierba, y desabrochó mi blusa. Abrí los ojos en alerta. Cubrió mis labios. Los niños están jugando, no nos encontrarán; nos oculta la hierba.*

*Hicimos el amor. No importaba nada de lo que hubiera sucedido en mi vida. Ese momento me decía que valía la pena vivir y sufrir hasta el extremo, si los seres humanos éramos capaces de sentir amor.*

*Aquí sembraremos cártamo, me anunció, y más hijos.*

*Ese fue el inicio de la vida que tenemos ahora. Ese fue el día de borrar el pasado e iniciar de nuevo. Ese fue el día en que tu padre inició su camino como agricultor. Ese fue el día en que concebimos a María José.*

(Mira, esta mañana decoré el jarrón con las flores de
cártamo que papá ha ido trayendo cada año. ¿Te gusta
como quedó? ¿Lo alcanzas a ver?)


Quiero estudiar Medicina, anuncié en la cena de gradua-
ción. Rafa fue el primero en protestar: Tendrías que irte de
la ciudad y eso no se permite en la familia, a mí no me lo
permitieron. ¿Lo pediste?, atajé su sobresalto. No temí ser
cruel, porque él lo estaba siendo al exigir las mismas reglas
que en el pasado imperaron en la familia. En su rostro vi
caer toda la frustración que durante años había acumu-
lado, su amargura, su dolor por haber estudiado lo que mi
padre le impuso.

Mi padre aclaró la garganta, se acomodó en su silla y
dijo: Déjate de cosas, hijita; cásate con Miguel y forma
una familia. Mamá interrumpió: Sara, averigua cuál es la
universidad más cercana que tenga Medicina, y tu padre y
yo hablaremos.

Decir «tu padre y yo hablaremos» es fácil; hacerlo fue
más complicado, sobre todo cuando en la discusión parti-
cipamos también Rafa y yo.

Finalmente el permiso me fue concedido y me inscribí
en la facultad de Medicina, en una ciudad a dos horas de
distancia. Miguel llevaba un año estudiando Comunica-
ción en la misma Universidad.

Si había pensado que el olor del mar era el olor a libertad, ahora el olor a libertad era el de esa ciudad, cuyo único
valor era el de acogerme a mí, Sara, sin una familia, sin
mi casa de la niñez, sin las paredes oscuras de mi mente
cavernosa.

Libertad era vivir en una pequeña casa, y yo elegir cada objeto. Libertad era dibujar y romper lo dibujado, sin el imperativo de enmarcarlo en las paredes. Libertad era caminar por las calles de la ciudad sin tener que avisar a nadie de mis pasos errantes. Libertad era lanzarme a la vida, así, consciente y sin paracaídas. Libertad era yo conducir mi caída.

Miguel no entendía del todo lo que significaba para mí vivir sola. Y a menudo discutíamos por qué yo no aceptaba que se quedara conmigo en el departamento más de una noche. Al terminar la discusión la estampa siempre era la misma: Yo acostada, sin más qué decir; él sentado en la orilla de la cama, dándome la espalda, esperando escuchar un "quédate".

Me entristecía contemplar su partida cada vez: se levantaba con tanta pesadumbre, se vestía tan lentamente, pasaba con tanto desgano sus dedos por el cabello para acicalarse un poco; y luego tomaba su morral de sueños, como le llamaba a su bolsa andina.

¿A dónde va Miguel?, me preguntaba, y no me refería a su lugar en el espacio, sino a su lugar en la vida. ¿Dónde está Miguel?, y con esta pregunta me refería al lugar que yo le daba en mi existencia: sólo un umbral donde siempre se entra y se sale, donde cada vez que se abre la puerta, también se cierra.

*La agricultura le dio un nuevo aire a tu padre y a nuestra vida. Qué noble es la siembra, Conchita, me decía Beto cuando íbamos a pasar el día en el campo. Mira, uno sólo tiene que arrodillarse ante la naturaleza, traba-*

*jando a veces a su favor, a veces en su contra, para que la parcela germine así de bonita, como está. En realidad es la tierra la que sola trabaja para darte el pan que llevas a tu familia.*

*Ya no faltaba la comida en casa. Comí como nunca había comido en mi vida. No era una mujer obesa, era una embarazada gordita, pensaba. Mientras mi madre apretaba el cinto de su vestido frente al espejo, me decía: Qué bárbaro, Concha, estás hecha un elefante. Ahorita Beto está tranquilo, pero al rato va a andar de loquito otra vez. Con dinero y tú así de gorda, imagínate.*

*No tenía miedo del futuro. Mi futuro era el nacimiento de mi hijito. Ya nada me angustiaba: este niño sí tendría cuna, carreola, portabebé, ropita nueva y pañales desechables.*

*Nunca pensé que la obesidad complicaría el nacimiento de mi hijo. Duré 12 horas en trabajo de parto y sin anestesia. Es niña y pesa cuatro kilos y medio, anunció el doctor. Era una niña tan hermosa.*

*Tu padre fue rápido por ti y por Rafa para que vieran a su hermanita. Nos hizo tanta gracia que tu padre te diera a escoger en broma a uno de los recién nacidos, y que hubieras atinado, Sarita. Cuando te preguntábamos por qué escogiste a esa niña, decías que por rosita y porque era la única que no lloraba. Por eso cuando pelean te digo: Pero si tú escogiste a tu hermanita, ¿cuál es el problema?*

Estaba a punto de terminar Medicina y la pasión por mi carrera estaba ausente. Mi espiritualidad estaba ausente.

El amor estaba ausente. No tenía suficientes razones para luchar en la vida. Me preguntaba con reproche si ese era el resultado de toda mi búsqueda del significado de la existencia.

Elegir medicina no había sido la decisión fundamental. Había sido el puente para sortear el precipicio. En mi vida persistía el abismo en medio de la soledad más inescrutable, en medio de mi egoísmo y lejanía.

El concepto Dios era lo único que podía resolver mi vacío y desazón. Pero a esas alturas no sabía qué era Dios. Era ausencia. Era lo terrible. Dios no era abandono; si así hubiera sido, se habría justificado mi vuelta de espalda. Me parecía como si hubiéramos acordado una cita a la que nunca llegué. Algo debía elegir en mi vida para no tentar más el precipicio. ¿Elegir qué? Dios era lo único que me parecía digno de elegir, por lo menos porque me hacía dudar. Elegir a Dios parecía elegir nada, aunque recordaba esa resonancia que alguna vez de niña había ardido en mi interior.

Podía elegir ignorar a Dios. Entregarme a Miguel y hacer la vida que se esperaba de mí: casarme, tener hijos, vivir en la casa de los Meza que mi padre habría comprado para mí, poner ahí mismo mi consultorio. Pero no tenía fuerzas para dar el paso que requería para acercarme a Miguel y tampoco sentía el abandono de Dios como para ignorarlo definitivamente.

Ceñida por esas dudas, terminé Medicina con cierto éxito. Miguel no había podido terminar sus estudios. Regresamos de vacaciones a nuestra ciudad, dispuestos a enfrentar un alud de preguntas y expectativas de parte de nuestras familias.

Mis padres hablaron conmigo: Si haces la especialidad, cásate antes con Miguel. Los padres de Miguel avergonzados lo apresuraban a terminar los estudios.

Esa noche, Miguel y yo salimos a caminar a la playa. Me preguntó: ¿Para ti es muy importante que termine mis estudios? Para mí lo importante es decidir, respondí. Y nuevamente callamos. Ninguno de los dos entendimos qué significaba decidir, ni tampoco cómo hacer coincidir ese planteamiento en una respuesta común o en una vida común.

*¿Por qué tu abuela siguió viviendo en casa? Porque nunca me animé a echarla. La vida iba tan bien, que tampoco valía la pena. Todas tus tías vivían con una economía muy estrecha. Darle un techo a mamá fue lo mínimo que pude hacer como hija. Y no quiero darme baños de pureza: también porque era mi revancha.*

*Mi madre me había quitado a mi prometido, pero ¿dónde estaba ahora Esteban? Con sus trajes viejos y el cigarro amarilleando sus dientes, yendo todos los días a la radio a opinar sobre la vida mediocre que ve pasar en su ciudad, sin poder protagonizarla. Mi madre se quedó sin su amante joven y su hija rival ahora vive feliz y de manera holgada con un hombre guapo, trabajador, que la ama y le ha dado tres hijos maravillosos. Al principio, como te he dicho, llegamos a pagar deuda por deuda. Pero su deuda hacia mí es mayor y yo todavía tenía una manera más de sellar mi venganza.*

*Cuando le pedí a Beto que buscáramos a mi padre, era porque quería ir a mostrarle mi felicidad, mis hijos,* mi marido. Quería que viera que no había salido puta como mi madre, que ya no era una india prieta, sino una mujer distinguida. Quería que sin decir nada me sonriera y pusiera su mano sobre mi cabeza.

Y así fue. Investigamos por tres meses, hasta que encontramos a tu abuelo en un rancho a las afueras de la ciudad donde vivimos de niñas.

De seguro él también deseaba recibir la visita de sus hijas, para que viéramos el hombre que ahora era. Un hombre elegante, casado con una mujer no tan guapa como mamá, pero sí educada; con un rancho solvente, con dos hijos varones; y sobre todo, siendo un hombre respetable, que contaba con la honra de su mujer.

Quise verlo como era en el presente, no como había sido. No me reclamó nada, me extendió la mano sonriendo con amabilidad pero con distancia, y me habló de usted, ¿cómo le va? El pasado no quedó totalmente atrás. Quería abrazarlo, nunca en mi vida lo había hecho. Pero todavía me daba un poco de miedo, no sabía cómo iba a reaccionar.

Cuando le presenté a Rafita, tu abuelo me dijo: Concepción, ahora verá qué tan parecido es su hijo a los míos. Y en efecto, me impactó el parecido.

Me dijo que tú tienes la misma cara que yo, y que Marijose es el retrato vivo de tu papá.

Se nota que desde el principio simpatizó con Beto. Hablaron de siembra, de animales, de maquinaria, de los precios de garantía para las cosechas, de la pastura para los animales. Hasta que llegaste tú, Sara y pediste el conejo.

*Tuve miedo de la reacción de tu abuelo. Pero mira cuánto le simpatizaste.*

*Cuando nos despedimos, envió saludos para mis hermanas y me pidió que volviera cuando lo deseara.*

*Lloré todo el trayecto a casa. Me invadieron los recuerdos de mi niñez desgraciada. Por el espejo retrovisor veía a mis hijos, alegres, hablando de la conejita, jugando con ella. Recordaba a papá con el torso desnudo esperando el regreso de su mujer. Pensaba ahora en él, al lado de una mujer que nunca soltó su mano. Se me presentaban mis dos medios hermanos, con sus miradas azules, sin cicatrices de la niñez.*

*El pasado nunca se borra del todo, es como el monstruo que acecha en la oscuridad detrás de las puertas. Nadie, ni ustedes, pudo borrar mi niñez. Y aunque el presente se vistiera diferente, aunque oliera diferente, aunque hablara diferente, el telón de fondo siempre ocultaba ese pasado de desamor, ese paisaje desolado de choyas.*

*Cuando llegué a casa, les pedí a ustedes que le contaran a la abuela del encuentro que habían tenido con el abuelo. El abuelo es guapo. El abuelo tiene una casa enorme y muy elegante. La esposa del abuelo nos hizo un pastel riquísimo de mango. El abuelo tiene dos hijos que se parecen a mí. Nadie escuchó la carcajada de la abuela. Se dio la media vuelta y se metió a su habitación.*

(Por la tarde llamé a tía Teresa; la abuela está bien, dentro de lo que cabe, pero no me la pusieron al teléfono porque ya la habían pasado de la silla de ruedas a la cama, ya sabes que su habitación no tiene línea telefónica. Mis tías optaron por no decirle de lo tuyo y estuve de acuerdo.)

Mario, rendido ante mis preguntas (las cuales calificó de necias), me puso en contacto con otro sacerdote, Manuel, quejándose: No resolverá esa duda tuya que de principio está mal planteada, pero no es tan blandengue como yo y por lo menos podrá lograr que desistas. Hablé por teléfono con Manuel y, dada su sequedad, concertamos una cita de inmediato. Nos encontramos en un café de pintores, que estaba decorado con fotografías de desnudos. Me llamó la atención que en ningún momento le atrajo mirar las fotos, mostrando un dominio sobre el entorno, como si él fuera el autor de los desnudos.

Manuel era un hombre con una personalidad muy fuerte, no seductora, al contrario, árida, siempre en alerta, racional. Tenía una mirada escudriñadora, que advertía: no me tomes el pelo. Eso me simpatizó. Si hubiera tenido una personalidad muy angelical, habría salido corriendo, y si hubiera tenido ese talante relajado de Mario, sólo me habría tomado un café y marchado después.

Fue amable, me hizo preguntas sobre Miguel, sobre mi carrera, mi vida. Escuchaba y casi podía percibir la forma en la que él iba armando el rompecabezas. Le conté por lo que estaba pasando. Que racionalmente había llegado a la conclusión de que si había una certeza en el misterio de la vida, era Dios. Sin embargo no podía tener fe. Y, aunque en forma de ausencia, no podía encontrar ningún otra ser en mi interior más que Él.

Manuel hacía un dibujo en la servilleta, cuando levantó su mano, vi un círculo. Tú eres médico. Sabes que el cuerpo tampoco está totalmente disociado de su entorno. Necesita del oxígeno, de la luz, de la temperatura. ¿Cómo puedes creer que tú eres un ser aislado de Dios? Tu ser está inmerso en Dios, quieras o no. Lo sepas o no, lo busques o no ¿La luz necesita sacar a los objetos de esta habitación para iluminarla? Igual Dios no es un cuerpo que desaloje a otro cuerpo para poder estar. Dios no se va porque no puede irse. Dios es.

Yo seguía a ciegas, y lo confesé. No sé qué significa tener sólo a Dios en mi interior. Lo que suelo encontrar en mi interior es la nada. Tal vez Dios me atormenta sólo como el asidero para no despeñarme en el vacío.

¿Quieres pensarlo?, preguntó con más paciencia de la que yo mostraba. Tengo una ermita que te puedo prestar. Tómate tu tiempo y no te preocupes; no hay nada que te indique que es un lugar religioso. Ni siquiera hay imágenes, ni una sola Biblia. Sólo la luz que traspasa las ventanas.

*Cuando Marijose cumplió dos años, tu padre alquiló un rancho con pozo en un valle más cercano a la playa. Tu padre vivía en el rancho, y cada semana o cada quince días volvía a casa. Dos años después le dieron la oportunidad de comprarlo, y eso nos permitió estar nuevamente a todos juntos.*

*Yo siempre había soñado con una casa enfrente de la playa, con ventanas grandes, donde la luz entrara desde el amanecer, y ahora la tenía. En mi casa era* tan feliz, disfrutaba tanto de estar allí adentro. Porque ver el mar desde afuera no es lo mismo que verlo desde dentro. Para ver el mar afuera bastan unas vacaciones o un paseo por la arena. Pero no cualquiera puede tener una casa enfrente del mar. No cualquiera tenía mis ventanales.

Cuídate, Concha, me aconsejaba mamá. Muchas quisieran tener esta casa y tu marido. Ya se me hace demasiado que Beto se vaya tan de madrugada y regrese tan tarde. Jálale el mecatito. Cuida a tu marido.

¿Qué sabe usted de cuidar al marido?, le respondía con toda mi dureza, mientras seguía trajinando en la cocina.

Mi madre se transformó cuando las cosas fueron bien. Dejó de tener un papel protector, y se convirtió en una voz insidiosa, envidiosa. Empezó a intervenir entre ustedes. Por eso siempre les digo que la venganza genera más venganza.

Aborrecía a Rafa, siempre lo estaba comparando con papá, pero a insultos: Igualito de marica que el viejo pelón, por eso no pudo conmigo, yo era demasiada mujer para él. Qué infeliz vas a ser mijito, y qué infeliz vas a hacer a la mujer que esté a tu lado.

Con el respeto que creía deberle todavía, le pedía: Cállese, madre, no le hable así a Rafa. Le pusiste el nombre adrede, Concha, por chingarme nomás, dime ¿qué honor le debes a tu padre? Por lo menos el que usted no le dio.

Marijose eran sus ojos. Ésta me recuerda a tu suegro, gustaba decir con ironía delante de tu papá. Mira qué hermosa, los mismos ojos pícaros, la misma boca carno-

*sita de su abuelo. Tu padre explotaba: Cállese doña o no respondo. Pero ¿qué, Beto? Sólo estoy chuleando a tu hija, ¿o a ti no se te hace hermosa?*

*A ti, Sara, sólo te ignoró. Y cuando te enteraste de la clase de mujer que era tu abuela, tú también la ignoraste.*

Estuve quince días en la ermita. Sola. Fue una experiencia muy fuerte. La soledad es una sacudida que electrifica.

Al estar a solas y en silencio, la ausencia radical de Dios fue una fuerza que pareció expulsarme a cada momento y me mantuvo en la línea de la renuncia.

Finalmente renuncié. Dios no sería visto por mí como un destino, sino como una ausencia presente, acompañante. Si me sentía incapaz de ser recíproca en el amor humano, tal vez si amaba a los demás y me comprometía con ellos para sanar esa ausencia interna, podría resolver esa distancia y vacío que sentía en mi relación con mi familia, mis seres queridos y mi propia vocación. Era una jugada inversa, por la vía de la negación, estaba consciente; pero no tenía otra forma de resolverlo. Tal vez el abrazarme ciegamente a esa certeza me haría, tarde o temprano, disipar la ausencia o la distancia que me alejaba inevitablemente de la gente.

No podría esperar más sorteando el precipicio. Si Él estaba aunque sea en la ausencia ¿por qué el miedo a extraviarme, a fracasar? Tomé la decisión de lanzarme en ese camino de la vida, acompañada de esa ausencia de Dios. No sabía exactamente cómo. Y sin embargo, ya no me daba miedo.

Se acercaba el día del bautizo del bebé de Rafa. El tercer nieto y sobrino de la familia. Y quizá el último. Era ocasión de reunirme con todos.

Al primero que busqué fue a Miguel. Rompí con él. ¿Por qué quieres terminar con esto? ¿Quieres que te proponga matrimonio? No, Miguel, no, y le explicaba mi decisión. Pero ¿te harás monja? Miguel, no me entiendes. No hay algo que odie más que me creas un pendejo, ¿por qué me estás dejando? Después de lo que hemos hecho no creo que tengas madera de monja. Me levanté en silencio y me retiré. Era imposible dar explicaciones sobre mi decisión. Y Miguel no sólo tenía la dificultad de entender lo que ni yo misma entendía bien, sino de terminar un noviazgo de siete años y asumirse como el agraviado por un ente abstracto. Ni siquiera por el Jesucristo comunista en el que él creía, ni por el Dios institucional de una monja. La palabra Dios, así, a solas, aterra; por eso le buscamos extensiones y apellidos.

Después busqué a la familia de Miguel, agradecí el cariño, el apoyo, la aceptación, sin dar más explicaciones. No las pidieron. Su madre me abrazó. Una mujer como tú no tiene por qué esperar eternamente a que el hombre al que ama le pida matrimonio; creo que le diste a Miguel mucho tiempo para madurar, fuiste paciente y te agradezco mucho. Pero entiendo tu límite. Te juro que nosotros estamos a punto de llegar a ese límite también, y exigirle que termine ya la carrera o se ponga a trabajar en algo de provecho. No la contradije.

Con mi familia las cosas serían más difíciles. Por ello aplazaba el momento de hablar. Hasta que mamá, con su nieto en brazos, me preguntó: Bueno, ¿a ti no se te antoja el bebé? Anoche comentábamos tus suegros y yo que estábamos seguros que este día Miguel te daría el anillo... Oye, ¿y Miguel?

Me compadecía de mis padres. Mi madre lloraba y lloraba. Papá, que nunca me gritaba, vociferó. Yo sé que era inaceptable que dejara una carrera redituable para ejercerla como un servicio, que dejara a Miguel y que ni siquiera fuera para ser monja. Cómo una mujer va andar por ahí sola, sin casarse, sin la protección de un hombre y de una familia. Para Dios da igual aquí o allá. Quédate con nosotros, si no quieres trabajar y sólo rezar todo el día, sabes que aquí tienes más que un techo. Si quieres ayudar a los pobres, para qué ir más lejos, vete a los ejidos de alrededor. Te podemos construir un departamento atrás, allí frente al estero, donde tanto te gusta estar. Sara, no nos hagas perder otra hija.

Rafa se acercó y con voz queda, por furia más que por prudencia, me reclamó: Ya podrías haber escogido otro momento para salir con esta chingadera; gracias por arruinar el bautizo de mi hijo.

Pano fue a buscarme a casa. Dime la verdad, ¿dejaste a Miguel porque quieres ser monja o por otro más macho? Pano, ¿me llevarías a la central de autobuses?

Hice maletas y salí. Otro minuto más me pesaría. Otro minuto más despertaría la esperanza de mi familia.

Cuando salí con mis maletas, recordé a Pano de niño. Me recordé saliendo después de mi Eucaristía, con mi blusa a medio torso. Pano me pasó la mano por la cintura y me invitó: ¿Vamos a jugar a la mamá y al papá?... Quién iba a decir, Sara, yo ahora juego al papá y al papá, y tú ni siquiera a la mamá.

Parecía que mi madre ahora jugaba a ser una buena madre. Demasiado tarde. En una casa sólo cabe una mamá y un papá. Tu abuela se empeñaba en sustituirme. Se esmeraba con ustedes, en tenerles lista la ropa, en hacer sus comidas favoritas, en volverse su confidente.

Con Beto hacía lo mismo; llevándole las medicinas a la mesa, preparándole las pantuflas en cuanto llegaba.

Pero lo único que lograba era exacerbar un sentimiento de repulsa entre todos ustedes, por no decir odio. La situación parecía insoportable, pero se hizo insostenible después de que me sacaron la matriz.

Justo cuando estaba en crisis mi identidad como madre, ella se adueñó de la casa, de mis hijos, de mi marido. Yo le gritaba: Deje en paz a mi familia, madre; mi marido y mis hijos saben cuidarse solos. ¿Qué van a saber cuidarse? Necesitan todavía de una madre, y mientras sigas enferma, la madre seré yo.

Tenía entonces ataques de histeria y le gritaba: ¡Madre debió ser cuando sus hijas éramos niñas y la necesitábamos!

Ella entonces se ponía a cantar: Mi gusto es, y quién me lo quitará.

Mi histeria aumentaba: Madre debió ser, en lugar de una piruja que se metía con medio pueblo.

Mi gusto es y quién me lo quitará.

Madre debió ser antes de revolcarse con mi novio.

Mi gusto es...

Marijose llegaba corriendo: ¿Qué pasa? Pues aquí tu madre, que está loca, simulaba tu abuelita estar ofendida. Tu hermana se ponía a llorar: Loca usted, *loca usted, ¿por qué no nos deja en paz? ¿Por qué no se va?*

*Tu abuela no se iba porque nunca se le ocurriría a ella. No se iba porque no se lo pedía yo. Y no había mayor deseo que un día poder decirle: Váyase, no soy su única hija.*

*No pude hacerlo así. Le pedí a Teresa que se la llevara por un tiempo mientras me recuperaba de la operación. Esperaba recuperarme pronto. Esperaba que mi madre nunca volviera.*

A mi regreso busqué a Manuel, quien me puso en contacto con un grupo de sacerdotes diocesanos y voluntarios que trabajaban de manera itinerante para organizaciones y albergues diversos. Había una especie de fraternidad entre ellos, sin que hubiera una estructura, estatutos o votos de ningún tipo que los uniera. Era sólo una amistad que compartía una espiritualidad así, profunda y llana. Si por lo menos fueras monja, para poder decir qué estás haciendo allá lejos y sola, me lloraba mamá por teléfono. Encerrada en un convento correrías menos peligros, reprochaba mi padre. Miguel todavía te espera, avisaba Rafa.

Mi vida era económicamente más estrecha, pero iba por el mundo con más certidumbres sobre mi futuro. No extrañaba nada, mi vida con Miguel, mi terruño. Sólo veía abrirse mis compuertas antes selladas y sentía mi vida desbordarse poco a poco, como agua dócil y ligera siguiendo la voz interna de su torrente.

Mis búsquedas sobre el significado de la vida poco tenían qué hacer frente a la enfermedad, la miseria, el abandono, el desamparo de gente que a veces sólo requería una mano para morir. En cada uno de ellos volvía a amar a Marijose, volvía a acompañarla en su muerte, volvía a redimirme de mis culpas por no haberla amado lo suficiente, por haberla elegido frágil, por haber anticipado por tanto tiempo su muerte a través de su mirada abierta debajo del agua. A través de ellos metía la mano en la llaga de lo humano.

Había logrado aceptar la vida como esa armonía en el trazo del dedo sobre el fango; como el abandono del estero sombrío, para asomarme por los ventanales atravesados por la luz.

*Marijose tenía tanto futuro, Sara. No entiendo qué pasó. Era una muchacha hermosa, era aplicada en el colegio, era extrovertida, tenía mucha pasión.*

*Pero las monjas del colegio la empezaron a sonsacar. Ya me imagino, han de pensar: de que ande por allí provocando el pecado, mejor que se encierre con nosotras. ¿Te fijas en eso? Casi todas las monjas del colegio están muy bonitas y andan arregladísimas. A mí no me engañan. Se pintan el pelo y se ponen polvo para quitarse el brillo de la cara y verse así de rositas.*

*Por eso le llaman retiros a los retiros. Cada vez que Marijose regresaba de uno, venía más retirada de su familia. Hasta empezó a usar ropa bien extraña, acuérdate, Sara. ¿No te acuerdas? Es que tú siempre has andado en tu mundo. Sí, de ser aquella muchacha altiva, se volvió jorobada, siempre con los brazos cruzados en un rincón, callada, con la cara lánguida. Y esos*

*ayunos que hacía me preocupaban tanto. Los mareos,*
*la anemia.*

*Y la monja que la sonsacaba no tenía nada de monja.*
*Intrigando, poniendo a Marijose en contra de sus*
*padres.*

*Tantos planes que teníamos para ella. ¿Y sabes qué*
*pienso ahora, Sara? Preferible que se hubiera ido con*
*las monjas, pero que siguiera viva.*


Cuando llegaba a mi casa, apagaba la luz y volvía a encontrar esa soledad y ese silencio, mi pequeñez y la ignorancia hacia esa presencia real y ausente era lo único que palpitaba en mis entrañas.

Me rendí a ambicionar algo más que eso y, sin respuestas y con las preguntas acalladas, pensaba en mi familia, en mis seres queridos, en Miguel, quien de seguro se habría sentido muy orgulloso de mí, sin saber el camino que había tenido que cruzar para llegar nuevamente a su sueño: trabajar para la gente más desamparada.


*¿Tu padre te avisó que estoy enferma? No sé qué es,*
*Sara. Me siento muy mal, mi cuerpo manda todo el día*
*la señal de que está muriendo. No lo tomes como un*
*chantaje más de mi parte. Me han hecho esa fama, pero*
*te estoy hablando en serio. Me operarán, ¿te explicó*
*Rafa? Él habló con el doctor. No sabes qué tan lindo se*
*ha portado Rafa. Bueno, qué me extraña.*

*Lo que sí me extraña es que hayas venido tú. ¿Te*
*dieron permiso? Ah, dices que no tienes que solicitarlo.*

*Bueno, ¿entonces qué te hizo salir de tu encierro? ¿Dejarás unos días de dar amor a la humanidad para dárselo sólo a tu madre? Qué desperdicio.*

*Tú crees que mi amor de madre fue egoísta y no quieres repetir mi error. ¿Sabes qué pienso, Sara? Que el amor a la humanidad es de un egoísmo gigante. Tú atiendes a gente necesitada, ayudas a gente que carece de amor. Pero entregas ese amor sabiendo que sólo darás tu dosis perfectamente medida y ni un gramo más. Entregas ese amor sabiendo que tu turno termina; sabiendo que el necesitado recibirá tu ayuda, te hará sentir bondadosa, buena cristiana, y al siguiente día desaparecerá, olvidará tu nombre, no te llamará para renovar ese compromiso de amor, no reclamará atención ni tu olvido, no te extrañará. La humanidad así no tiene nombre, Sara, la humanidad así no existe. Tener un hijo sí es entrega. Yo nunca he podido terminar mi turno de madre. Aún cuando Aunque Marijose haya muerto, sigo rezando por ella, sigo llorando por ella, sigo hablando con ella. Aunque Rafa se haya casado, lo sigo mimando, me sigue preocupando él, y ahora su mujer y sus hijitos. Y tú, aunque te has marchado y has elegido esa extraña forma de vivir, sigues siendo mi hija, sigo esperando que llames, sigo esperando que vengas en las vacaciones a visitarme, y yo desde aquí sigo dándote mi amor de entrega extrema. Lo quieras o no, Sara, ese amor te llega. Si puedes amar es porque crees en el amor, y si crees en el amor es porque nosotros te enseñamos lo que es el amor.*

*Cuando vas al cine, cuando te bañas, cuando sales a tomar una copa con tus amigos, te apuesto que no*

*está presente ningún rostro de tus hijos espirituales. No*
*hay ningún rostro especial sonriéndote cada vez que*
*cierras los ojos, no hay ninguna risa especial animando*
*tus faenas de todos los días. No hay ningún nombre qué*
*pronunciar en las noches cuando rezas.*

*El amor a la humanidad es abstracto. Tan inexistente*
*como todo lo abstracto.*

No es fácil vivir totalmente sola, en una casa donde lo único que se oyen son tus pasos. No es fácil cuando tu respiración te recuerda que alguna vez te acompañó el resuello de otra persona muy cerca de tu nuca. No es fácil llevar tu propia vida, cuando no hay nadie que te indique por dónde caminar, ni siquiera el sacerdote amigo. No es fácil creer en un Dios a secas, que nunca se revela. Cada día me pregunto qué es Dios, y si realmente esta ausencia que resuena en mi interior es Él o el vacío de una idea que mi mente ha inventado desde niña para poder escapar de la asfixia, para poder liberarme de mi mente tan racional.

Muchas veces pienso que yo he inventado a Dios, que este Dios es mi otro yo, que este Dios es la sombrilla que me cubre de las tormentas y atrasa mi caída.

Pienso que Dios es la mejor escapatoria para un ser extremadamente egoísta, como quizá yo lo sea.

Quizá es una fuga dirigir toda la capacidad de amar hacia Dios, por tal de no amar a los demás con el defecto de la humanidad, para no sufrir lo que implican los defectos. Quizá ese amor que sientes espontáneamente por alguien se va al vacío, en lugar de irse a Dios. Quizá prefiera eso, tirarlo al vacío, que entregarlo a una persona concreta.

De lo único que creo estar segura es que Dios existe, pues de lo contrario no sentiría su ausencia. Nunca podré entenderlo. Y mi concepción sobre la divinidad estará marcada por la duda, por mis miserias, por mis vacíos. He amado de manera tan ineficiente, tan imperfecta. Pero si acaso yo fuera el receptáculo de un amor perfecto, tal vez en esa medida pueda amar mejor. Es lo único que soy capaz de entender. Es en lo único que mi razón es incapaz de penetrar. Y ese espacio impenetrable, que es lo divino, es el que me libera.

(Si nunca te conté por qué hice lo que hice, mamá, es porque creí que era mejor no dar explicaciones. La explicación era más incomprensible que el silencio. Y la duda es menos dolorosa que una verdad radical. La cuestión era que yo había tomado una decisión, y que sólo yo debía participar de ella. Dar explicaciones me haría volver la vista atrás. Te haría luchar por mí. Quiero que te vayas tranquila, pensando que no es necesario luchar por mí... No es fácil mi camino, pero esta lucha me toca a mí, no a ti...)

*Nunca he entendido lo que hiciste de tu vida, Sara .¿Pero sabes algo? Te veo contenta. Me sorprendió mucho que vinieras a instalarte en la casa mientras me recupero de la operación. No te creí capaz de esta ternura con que me tratas cuando me quejo en las noches, cuando me bañas, cuando te despiertas cada hora para darme el montón de medicinas que debo tomar. Qué digo, Sara, si eres mi hija y una excelente doctora.*

*¿Sabes algo? Me siento muy orgullosa de que no me han fallado como hijos. Al final de cuentas, eres una buena mujer, ¿qué más debería esperar una madre? Ya ves, en cuanto compramos la casa de los Meza, Rafa se mudó para estar junto a nosotros. Y tu hermana, sé que está en el cielo, cuidando de mí.*

*Yo sé que sí les he fallado, Sara. Perdónenme por no haber estado con ustedes después de que murió Marijose. Por haberlos abandonado, por haberme abandonado. Pensé que me volvería loca, y yo misma deseaba enloquecer porque era preferible eso que sentir tan enorme hueco en mi ser. Es lo más absurdo y brutal que te puede pasar. ¿Cómo vas a ver morir a quien le diste vida? Pero ¿sabes qué pienso ahora, Sara? Que justo porque das la vida, das la muerte. Yo soy un ser mortal, frágil, que puede enfermar y que una cosa tan pequeñita como una bala puede matar. Y no tengo forma de concebir vida que no sea mortal. Hemos creado artefactos, como los carros, que pueden matar a las personas, porque somos frágiles y no hacemos cosas perfectas. No hay otra manera de dar vida más que esta. Es muy doloroso, pero antes que la muerte de mi hija, fue la vida de mi hija. Y claro que vale la pena. Sólo recordar el momento en que tu padre y yo la concebimos, sólo recordar cada acto de amor que me brindó Marijose, vale la pena.*

*Nadie me quita el dolor, nadie puede imaginar, ni siquiera tu padre, lo que una madre siente al perder un hijo.*

*Y ya ves, yo sigo con vida. Me ha tocado verlos a ustedes elegir su camino. Me ha tocado ver a mis nietos y, muy probablemente, todos mis nietos, porque ya me dijiste que tu opción no es esa. A pesar de todos los problemas que vivimos, Beto y yo estamos juntos, unidos por el amor que nos hemos tenido.*

*La vida vale la pena, Sara. Y no se vale desairarla. No es justo lo que les hice, negarles mi canto, mi cariño, atención, apoyo. Esos tres años yo no sé qué hicieron. De repente, cuando el dolor volvió a dejarme ver, cuando fui aterrizando de nuevo en la realidad, me encontré con un Rafa hombre, que quería comprometerse con una novia que yo casi ni conocía. Me encontré a una Sara retraída, distante, hermética y con sueños desconocidos para mí. Me encontré a un Beto ermitaño, recluido en su rancho, a punto de abandonar la casa.*

*Me duele mucho haberme perdido de ustedes, que sí tenían vida; que formaba parte de la vida que estábamos viviendo. Me duele mucho haber deseado la muerte de todos, me duelen aquellos deseos de morir. Pero ahora, cuando siento que la muerte ha tocado una parte de mi cuerpo y quiere contagiarlo todo, envenenarlo todo, quiero vivir. Tengo deseos de vivir. Quiero disfrutar a mi familia. Quiero disfrutarte a ti.*

Mamá había creído recuperarse. Ciertamente así parecía. Su color había mejorado. Su ánimo. Pero la sentencia ya estaba anunciada: tres meses de vida.

Cuando conducía del hospital a casa, pensaba en los insospechados caminos de la vida, que de repente aparecen tan obvios frente a nosotros, mostrándose como el dibujo del ingeniero que les dio vida.

Justo mis padres, que hicieron del ser padres su razón de existir, tuvieron que perder a su hija, la pequeñita, la que concibieron bajo la hierba el día en que papá inició su exitosa vida de agricultor. Justo cuando mi madre quería vivir, estaba condenada a morir.

Justo yo, la hija que siempre había querido huir de su casa y despojarse del cariño de sus padres, ahora se recluía en casa, para llenar a la familia de consuelo y darles el anuncio terrible de los días contados de mamá.

Siempre había soñado mezquinamente ser una niña huérfana y, justo ahora, asisto a la muerte paulatina de mi madre y me es difícil soportarlo.

Ya habíamos visto a la muerte en casa, como una sombra implacable que ennegreció los ventanales. Había sido tan brutal ese encuentro, que no podíamos conocerla mejor. Su olor, su sonido, su color, su llanto lleno de suspiros por los rincones.

Intentaba consolar a Rafa: Piensa que contamos con tiempo para disfrutar a mamá, acompañarla, despedirnos; con Marijose no pudimos.

Era escalofriante escuchar nuevamente el sonido sordo del llanto de los hombres. El sonido del llanto se volvió a quedar en el caracol de mi oído. Qué escalofriante era sentir sobre mi pecho el cuerpo rendido de papá, temblando por el sollozo contenido.

Si nunca lo había sido, ahora sí era la monja que debía traer consuelo. La monja que debía pronunciar las palabras mágicas para conjurar el dolor, para convocar a la resignación. Era imposible que aceptaran que yo no era monja, ni tenía palabras para disipar el dolor que nuevamente había encajado sus esquirlas en nuestro ser. Era imposible explicarles que carecía de fe. Que era incapaz de cerrar mis ojos y orar como cuando niña, como seguramente rezan las monjas. Qué hipocresía mencionar la palabra Dios como la caja de un objeto ausente, extraviado.

La luz de los ventanales volvió a atenuarse, el viento volvió a pasar denso y fantasmagórico, el mar volvió a ser una placa de acero sin brillo ni gracia.

Mamá no se recuperaba, iba de mal en peor. Ella lo sabía. No temo a la muerte, me decía a menudo, voy a heredarte las pocas joyas que tengo. Y no quiero que las dones a la caridad. Quiero que cuando vayas a una cena o a uno de esos conciertos que te gustan, te pongas mis joyas. Sólo hay una forma de hacer visible la inteligencia: siendo elegante.

Yo sólo le sonreía con suspicacia. Si quieres saber algo, pregunta, no hagas ese tipo de argucias, le decía con el rostro agudo, como a ella le gustaba hablar.

El día en que mi madre preguntara sin miedo "¿Acaso voy a morir?", ese día, sería el más idóneo para anunciar: Sí.

Una mañana la encontré viendo hacia el ventanal de su habitación y no giró su vista para saludarme con su sonrisa agotada. Sin verme a la cara hizo la pregunta.

¿Voy a morir, Sara? Sí ¿Cuánto tiempo? Dos meses más. Al día siguiente me llamó más temprano a su cama: Soñé que me anunciabas que estaba desahuciada, que me quedaban dos meses. Qué raro, ¿verdad? Ante mi silencio, recapacitó: ¿Me lo dijiste?

Cubrió su cara, le avergonzaba el llanto. Quería creer que lo había soñado, no tengo miedo, Sara, pero quería creer...

*¿Sabes algo, Sara? Menos mal que no eres monja. Si fueras monja no podrías estar aquí tanto tiempo. Cumple tus promesas. No me des morfina. Y siempre sé libre.*

He llamado a mi padre, a Rafa y a su esposa. Estamos rodeando a mi madre. Sufre, y recuerdo a todos los enfermos que he visto morir. Es verdad lo que ella me dijo. No recuerdo nombres. Sólo los visajes del dolor, la superficie de una guerra que aniquila por dentro la vida. He estado días al pie de su cama. Ahora tengo un nombre que repetir y amar, el nombre de mi madre.

No puedo hacer nada espiritualmente por ella ni por mi familia; nada como médico. Mi padre me mira y me suplica: Ayúdanos a rezar, ayúdala a morir. No encuentro nada a qué asirme. Hoy la que está muriendo es mi madre y no lo soporto. Me arrodillo por mandato de mi familia y empiezo a rezar las mismas oraciones de niña. Sé que van al vacío. Sé que nada harán por mi madre y que Dios no aparece nunca en mi interior. Pero conforme rezo torpemente, inútilmente, veo a mi familia tranquilizarse; veo cómo se detiene la aniquilación desatada en el cuerpo de mi madre. Su rostro ya no sufre, sus labios se relajan con una belleza sobrenatural. La mirada se suspende como un mar profundo y calmo. Tal vez esta es la fe. La certeza inexplicable de que algo sucede cuando rezamos, cuando nos suspendemos en alguien que no es uno mismo, porque ninguno tenemos la fuerza para sostenernos. La fe es esta ceguera, vaciarnos en la oscuridad que anega el interior. Vaciarnos, no porque creemos, sino porque dejamos de creer en nosotros mismos y no tenemos más solución.

*No quiero otra flor afuera de mi habitación. Sólo siemprevivas. La gente que le llama naturaleza muerta a eso, no sabe lo que dice. La naturaleza muerta es lo que una vez estuvo vivo y luego murió. Tu padre lo sabe. Cada vez que levanta la cosecha me trae mis flores de cártamo. Míralas, allí están, ni puedo diferenciar a qué cosecha pertenece cada cual. Es lo más parecido a la eternidad.*

*Abre la ventana. Observa las siemprevivas. Corren más riesgo plantadas en la tierra que cuando las cortas. Las siemprevivas están más vivas cuando muertas están.*

*Acabose de imprimir este libro por encargo de Editorial Almuzara, en los talleres gráficos de Taller de libros el 29 de agosto de 2006, tal día de 1874 nació en Sevilla Manuel Machado, el poeta olvidado.*